新潮文庫

雪　国

川端康成著

新潮社版

雪国

国境の長いトンネルを抜けると雪国であった。夜の底が白くなった。信号所に汽車が止まった。

向側の座席から娘が立って来て、島村の前のガラス窓を落した。雪の冷気が流れこんだ。娘は窓いっぱいに乗り出して、遠くへ叫ぶように、

「駅長さあん、駅長さあん。」

明りをさげてゆっくり雪を踏んで来た男は、襟巻(えりまき)で鼻の上まで包み、耳に帽子の毛皮を垂れていた。

もうそんな寒さかと島村は外を眺(なが)めると、鉄道の官舎らしいバラックが山裾(やますそ)に寒々と散らばっているだけで、雪の色はそこまで行かぬうちに闇(やみ)に呑(の)まれていた。

「駅長さん、私です、御機嫌(ごきげん)よろしゅうございます。」

「ああ、葉子さんじゃないか。お帰りかい。また寒くなったよ。」

「弟が今度こちらに勤めさせていただいておりますのですってね。お世話さまですわ。」

「こんなところ、今に寂しくて参るだろうよ。若いのに可哀想だな。」

「ほんの子供ですから、駅長さんからよく教えてやっていただいて、よろしくお願いいたします

わ。」

「よろしい。元気で働いてるよ。これからいそがしくなる。去年は大雪だったよ。よく雪崩れてね、汽車が立往生するんで、村も焚出しがいそがしかったよ。」

「駅長さんずいぶん厚着に見えますわ。弟の手紙には、まだチョッキも着ていないようなことを書いてありましたけれど。」

「私は着物を四枚重ねだ。若い者は寒いと酒ばかり飲んでいるよ。それでごろごろあすこにぶっ倒れてるのさ、風邪をひいてね。」

駅長は官舎の方へ手の明りを振り向けた。

「弟もお酒をいただきますでしょうか。」

「いや。」

「駅長さんもうお帰りですの？」

「私は怪我をして、医者に通ってるんだ。」

「まあ。いけませんわ。」

和服に外套の駅長は寒い立話を切り上げたいらしく、もう後姿を見せながら、

「それじゃまあ大事にいらっしゃい。」

「駅長さん、弟は今出ておりませんの？」と、葉子は雪の上を目捜しして、

「駅長さん、弟をよく見てやって、お願いです。」

悲しいほど美しい声であった。高い響きのまま夜の雪から木魂して来そうだった。

汽車が動き出しても、彼女は窓から胸を入れなかった。そうして線路の下を歩いている駅長に追いつくと、

「駅長さあん、今度の休みの日に家へお帰りって、弟に言ってやって下さあい。」

「はあい。」と、駅長が声を張りあげた。

葉子は窓をしめて、赤らんだ頰に両手をあてた。

ラッセルを三台備えて雪を待つ、国境の山であった。トンネルの南北から、電力による雪崩報知線が通じた。除雪人夫延人員五千名に加えて消防組青年団の延人員二千名出動の手配がもう整っていた。

そのような、やがて雪に埋もれる鉄道信号所に、葉子という娘の弟がこの冬から勤めているのだと分ると、島村は一層彼女に興味を強めた。

しかし、ここで「娘」と言うのは、島村にそう見えたからであって、連れの男が彼女のなんであるか、無論島村の知るはずはなかった。二人のしぐさは夫婦じみていたけれども、男は明らかに病人だった。病人相手ではつい男女の隔てがゆるみ、まめまめしく世話すればするほど、夫婦じみて見えるものだ。実際また自分より年上の男をいたわる女の幼い母ぶりは、遠目に夫婦とも思われよう。

島村は彼女一人だけを切り離して、その姿の感じから、自分勝手に娘だろうときめているだけ

のことだった。でもそれには、彼がその娘を不思議な見方であまりに見つめ過ぎた結果、彼自らの感傷が多分に加わってのことかもしれない。

もう三時間も前のこと、島村は退屈まぎれに左手の人差指をいろいろに動かして眺めては、結局この指だけが、これから会いに行く女をなまなましく覚えている、はっきり思い出そうとあせればあせるほど、つかみどころなくぼやけてゆく記憶の頼りなさのうちに、この指だけは女の触感で今も濡れていて、自分を遠くの女へ引き寄せるかのようだと、不思議に思いながら、鼻につけて匂いを嗅いでみたりしていたが、ふとその指で窓ガラスに線を引くと、そこに女の片眼がはっきり浮き出たのだった。彼は驚いて声をあげそうになった。しかしそれは彼が心を遠くへやっていたからのことで、気がついてみればなんでもない、向側の座席の女が写ったのだった。外は夕闇がおりているし、汽車のなかは明りがついている。それで窓ガラスが鏡になる。けれども、スチイムの温みでガラスがすっかり水蒸気に濡れているから、指で拭くまでその鏡はなかったのだった。

娘の片眼だけは反って異様に美しかったものの、島村は顔を窓に寄せると、夕景色見たさという風な旅愁顔を俄づくりして、掌でガラスをこすった。

娘は胸をこころもち傾けて、前に横たわった男を一心に見下していた。肩に力が入っているところから、少しいかつい眼も瞬きさえしないほどの真剣さのしるしだと知れた。男は窓の方を枕にして、娘の横へ折り曲げた足をあげていた。三等車である。島村の真横ではなく、一つ前の向側の座席だったから、横寝している男の顔は耳のあたりまでしか鏡に写らなかった。

娘は島村とちょうど斜めに向い合っていることになるので、じかにだって見られるのだが、彼女等が汽車に乗り込んだ時、なにか涼しく刺すような娘の美しさに驚いて目を伏せる途端、娘の手を固くつかんだ男の青黄色い手が見えたものだから、島村は二度とそっちを向いては悪いような気がしていたのだった。

鏡の中の男の顔色は、ただもう娘の胸のあたりを見ているゆえに安らかだという風に落ちついていた。弱い体力が弱いながらに甘い調和を漂わせていた。襟巻を枕に敷き、それを鼻の下にひっかけて口をぴったり覆(おお)い、それからまた上になった頬を包んで、一種の頬かむりのような工合だが、ゆるんで来たり、鼻にかぶさって来たりする。男が目を動かすか動かさぬうちに、娘はやさしい手つきで直してやっていた。見ている島村がいら立って来るほど幾度もその同じことを、二人は無心に繰り返していた。また、男の足をつつんだ外套の裾が時々開いて垂れ下る。それも娘は直ぐ気がついて直してやっていた。これらがまことに自然であった。このようにして距離というものを忘れながら、二人は果しなく遠くへ行くものの姿のように思われたほどだった。それゆえ島村は悲しみを見ているというつらさはなくて、夢のからくりを眺めているような思いだった。不思議な鏡のなかのことだったからでもあろう。

鏡の底には夕景色が流れていて、つまり写るものと写す鏡とが、映画の二重写しのように動くのだった。登場人物と背景とはなんのかかわりもないのだった。しかも人物は透明のはかなさで、風景は夕闇のおぼろな流れで、その二つが融け合いながらこの世ならぬ象徴の世界を描いていた。殊に娘の顔のただなかに野山のともし火がともった時には、島村はなんともいえぬ美しさに胸が顫えたほどだった。

遙かの山の空はまだ夕焼の名残の色がほのかだったから、窓ガラス越しに見る風景は遠くの方までものの形が消えてはいなかった。しかし色はもう失われてしまっていて、どこまで行っても平凡な野山の姿が尚更平凡に見え、なにものも際立って注意を惹きようがないゆえに、反ってなにかぼうっと大きい感情の流れであった。無論それは娘の顔をそのなかに浮べていたからである。窓の鏡に写る娘の輪郭のまわりを絶えず夕景色が動いているので、娘の顔も透明のように感じられた。しかしほんとうに透明かどうかは、顔の裏を流れてやまぬ夕景色が顔の表を通るかのように錯覚されて、見極める時がつかめないのだった。

汽車のなかもさほど明るくはないし、ほんとうの鏡のように強くはなかった。反射がなかった。だから、島村は見入っているうちに、鏡のあることをだんだん忘れてしまって、夕景色の流れのなかに娘が浮んでいるように思われて来た。

そういう時、彼女の顔のなかにともし火がともったのだった。この鏡の映像は窓の外のともし火を消す強さはなかった。ともし火も映像を消しはしなかった。そうしてともし火は彼女の顔のなかを流れて通るのだった。しかし彼女の顔を光り輝かせるようなことはしなかった。冷たく遠い光であった。小さい瞳のまわりをぽうっと明るくしながら、つまり娘の眼と火とが重なった瞬間、彼女の眼は夕闇の波間に浮ぶ、妖しく美しい夜光虫であった。

こんな風に見られていることを、葉子は気づくはずがなかった。彼女はただ病人に心を奪われていたが、たとえ島村の方へ振り向いたところで、窓ガラスに写る自分の姿は見えず、窓の外を眺める男など目にも止まらなかっただろう。

島村が葉子を長い間盗見しながら彼女に悪いということを忘れていたのは、夕景色の鏡の非現実な力にとらえられていたからだったろう。

だから彼女が駅長に呼びかけて、ここでもなにか真剣過ぎるものを見せた時にも、物語めいた興味が先きに立ったのかもしれない。

その信号所を通るころは、もう窓はただ闇であった。向うに風景の流れが消えると鏡の魅力も失われてしまった。葉子の美しい顔はやはり写っていたけれども、その温かいしぐさにかかわらず、島村は彼女のうちになにか澄んだ冷たさを新しく見つけて、鏡の曇って来るのを拭おうともしなかった。

ところがそれから半時間ばかり後に、思いがけなく葉子達も島村と同じ駅に下りたので、彼はまたなにか起るかと自分にかかわりがあるかのように振り返ったが、プラットフォウムの寒さに触れると、急に汽車のなかの非礼が恥ずかしくなって、後も見ずに機関車の前を渡った。

男が葉子の肩につかまって線路へ下りようとした時に、こちらから駅員が手を上げて止めた。

やがて闇から現われて来た長い貨物列車が二人の姿を隠した。

宿屋の客引きの番頭は火事場の消防のようにものものしい雪装束だった。耳をつつみ、ゴムの長靴をはいていた。待合室の窓から線路の方を眺めて立っている女も、青いマントを着て、その頭巾をかぶっていた。

島村は汽車のなかのぬくみがさめなくて、そとのほんとうの寒さをまだ感じなかったけれども、雪国の冬は初めてだから、土地の人のいでたちに先ずおびやかされた。

「そんな恰好をするほど寒いのかね。」

「へい、もうすっかり冬支度です。雪の後でお天気になる前の晩は、特別冷えます。今夜はこれでもう氷点を下っておりますでしょうね。」

「これが氷点以下かね。」と、島村は軒端の可愛い氷柱を眺めながら、宿の番頭と自動車に乗った。雪の色が家々の低い屋根を一層低く見せて、村はしいんと底に沈んでいるようだった。

「なるほどなにさわっても冷たさがちがうよ。」

「去年は氷点下二十何度というのが一番でした。」

「雪は？」

「さあ、普通七八尺ですけれど、多い時は一丈を二三尺超えてますでしょうね。」

「これからだね。」

「これからですよ。この雪はこの間一尺ばかり降ったのが、だいぶ解けて来たところです。」

「解けることもあるのかね。」

「もういつ大雪になるか分りません。」

　十二月の初めであった。

　島村はしつっこい風邪心地でつまっていた鼻が、頭のしんまですっといちどきに通って、よごれものが洗い落されるように、水洟がしきりと落ちて来た。

「お師匠さんとこの娘はまだいるかい。」

「へえ、おりますおります。駅におりましたが、御覧になりませんでしたか、濃い青のマントを着て。」

「あれがそうだったの？——後で呼べるだろう。」

「今夜ですか。」

「今夜だ。」

「今の終列車でお師匠さんの息子が帰るとか言って、迎えに出ていましたよ。」

　夕景色の鏡のなかで葉子にいたわられていた病人は、島村が会いに来た女の家の息子だったのだ。

　そうと知ると、自分の胸のなかをなにかが通り過ぎたように感じたけれども、このめぐりあわせを、彼はさほど不思議と思うことはなかった。不思議と思わぬ自分を不思議と思ったくらいのものであった。

指で覚えている女と眼にともし火をつけていた女との間に、なにがあるのかなにが起るのか、島村はなぜかそれが心のどこかで見えるような気持もする。まだ夕景色の鏡から醒め切らぬせいだろうか。あの夕景色の流れは、さては時の流れの象徴であったかと、彼はふとそんなことを呟いた。

スキイの季節前の温泉宿は最も客の少い時で、島村が内湯から上って来ると、もう全く寝静まっていた。古びた廊下は彼の踏む度にガラス戸を微かに鳴らした。その長いはずれの帳場の曲り角に、裾を冷え冷えと黒光りの板の上へ拡げて、女が高く立っていた。

とうとう芸者に出たのであろうかと、その裾を見てはっとしたけれども、こちらへ歩いて来るでもない、体のどこかを崩して迎えるしなを作るでもない、じっと動かぬその立ち姿から、彼は遠目にも真面目なものを受け取って、急いで行ったが、女の傍に立っても黙っていた。女も濃い白粉の顔で微笑もうとすると、反って泣き面になったので、なにも言わずに二人は部屋の方へ歩き出した。

あんなことがあったのに、手紙も出さず、会いにも来ず、踊の型の本など送るという約束も果さず、女からすれば笑って忘れられたとしか思えないだろうから、先ず島村の方から詫びかいいわけを言わねばならない順序だったが、顔を見ないで歩いているうちにも、彼女は彼を責めるどころか、体いっぱいになつかしさを感じていることが知れるので、彼は尚更、どんなことを言ったにしても、その言葉は自分の方が不真面目だという響きしか持たぬだろうと思って、なにか彼女に気押される甘い喜びにつつまれていたが、階段の下まで来ると、

「こいつが一番よく君を覚えていたよ。」と、人差指だけ伸した左手の握り拳を、いきなり女の目の前に突きつけた。

「そう?」と、女は彼の指を握るとそのまま離さないで手をひくように階段を上って行った。

火燵の前で手を離すと、彼女はさっと首まで赤くなって、それをごまかすためにあわててまた彼の手を拾いながら、

「これが覚えていてくれたの?」

「右じゃない、こっちだよ。」と、女の掌の間から右手を抜いて火燵に入れると、改めて左の握拳を出した。彼女はすました顔で、

「ええ、分ってるわ。」

ふふと含み笑いしながら、島村の掌を拡げて、その上に顔を押しあてた。

「これが覚えていてくれたの?」

「ほう冷たい。こんな冷たい髪の毛初めてだ。」

「東京はまだ雪が降らないの?」

「君はあの時、ああ言ってたけれども、あれはやっぱり嘘だよ。そうでなければ、誰が年の暮に

こんな寒いところへ来るものか。」

あの時は――雪崩の危険期が過ぎて、新緑の登山季節に入った頃だった。

あけびの新芽も間もなく食膳（しょくぜん）に見られなくなる。

無為徒食の島村は自然と自身に対する真面目さも失いがちなので、それを呼び戻すには山がいいと、よく一人で山歩きをするが、その夜も国境の山々から七日振りで温泉場へ下りて来ると、芸者を呼んでくれと言った。ところが、その日は道路普請の落成祝いで、村の繭倉（まゆぐら）兼芝居小屋を宴会場に使ったほどの賑（にぎや）かさだから、十二三人の芸者では手が足りなくて、とうてい貰（もら）えないだろうが、師匠の家の娘なら宴会を手伝いに行ったにしろ、踊を二つ三つ見せただけで帰るから、もしかしたら来てくれるかも知れないとのことだった。島村が聞き返すと、三味線と踊の師匠の家にいる娘は芸者というわけではないが、大きい宴会などには時たま頼まれて行くこともある、半玉（はんぎょく）がなく、立って踊りたがらない年増（としま）が多いから、娘は重宝がられている、宿屋の客の座敷へなど滅多に一人で出ないけれども、全くの素人（しろうと）とも言えない、ざっとこんな風な女中の説明だった。

怪しい話だとたかをくくっていたが、一時間ほどして女が女中に連れられて来ると、島村はおやと居住いを直した。直ぐ立ち上って行こうとする女中の袖を女がとらえて、またそこに坐らせた。

女の印象は不思議なくらい清潔であった。足指の裏の窪みまできれいであろうと思われた。山山の初夏を見て来た自分の眼のせいかと、島村は疑ったほどだった。

着つけにどこか芸者風なところがあったが、無論裾はひきずっていないし、やわらかい単衣をむしろきちんと着ている方であった。帯だけは不似合に高価なものらしく、それが反ってなにかいたましく見えた。

山の話などはじめたのをしおに、女中が立って行ったけれども、女はこの村から眺められる山山の名もろくに知らず、島村は酒を飲む気にもなれないでいると、女はやはり生れはこの雪国、東京でお酌をしているうちに受け出され、ゆくすえ日本踊の師匠として身を立てさせてもらうつもりでいたところ、一年半ばかりで旦那が死んだと、思いの外素直に話した。しかしその人に死別れてから今日までのことが、恐らく彼女のほんとうの身の上話かもしれないが、それは急に打ち明けそうもなかった。十九だと言った。嘘でないなら、この十九が二十一二に見えることに島村ははじめてくつろぎを見つけ出して、歌舞伎の話などしかけると、女は彼よりも俳優の芸風や消息に精通していた。そういう話相手に飢えていてか、夢中でしゃべっているうち、根が花柳界出の女らしいうちとけようを示して来た。男の気心を一通り知っているようでもあった。それにしても彼は頭から相手を素人ときめているし、一週間ばかり人間とろくに口をきいたこともない後だから、人なつかしさが温かく溢(あふ)れて、女に先ず友情のようなものを感じた。山の感傷が女の上にまで尾をひいて来た。

女は翌日の午後、お湯道具を廊下の外に置いて、彼の部屋へ遊びに寄った。

彼女が坐るか坐らないうちに、彼は突然芸者を世話してくれと言った。

「世話するって?」

「分ってるじゃないか。」

「いやあねえ。私そんなこと頼まれるとは夢にも思って来ませんでしたわ。」と、女はぷいと窓へ立って行って国境の山々を眺めたが、そのうちに頬を染めて、

「ここにはそんな人ありませんわよ。」

「嘘をつけ。」

「ほんとうよ。」と、くるっと向き直って、窓に腰をおろすと、

「強制することは絶対にありませんわ。みんな芸者さんの自由なんですわ。宿屋でもそういうお世話は一切しないの。ほんとうなのよ、これ。あなたが誰か呼んで直接話してごらんになるといいわ。」

「君から頼んでみてくれよ。」

「私がどうしてそんなことしなければならないの?」

「友だちだと思ってるんだ。友だちにしときたいから、君は口説かないんだよ。」

「それがお友達ってものなの?」と、女はつい誘われて子供っぽく言ったが、後はまた吐き出すように、

「えらいと思うわ。よくそんなことが私にお頼めになれますわ。」

「なんでもないことじゃないか。山で丈夫になって来たんだよ。頭がさっぱりしないんだ。君とだって、からっとした気持で話が出来やしない。」

女は瞼(まぶた)を落して黙った。島村はこうなればもう男の厚かましさをさらけ出しているだけなのに、それを物分りよくうなずく習わしが女の身にしみているのだろう。その伏目は濃い睫毛(まつげ)のせいか、ほうっと温かく艶(なま)めくと島村が眺めているうちに、女の顔はほんの少し左右に揺れて、また薄赤らんだ。

「お好きなのをお呼びなさい。」

「それを君に聞いてるんじゃないか。初めての土地だから、誰がきれいだか分らんさ。」

「きれいって言ったって。」

「若いのがいいね。若い方がなにかにつけてまちがいが少いだろう。うるさくしゃべらんのがいい。ぼんやりしていて、よごれてないのが。しゃべりたい時は君としゃべるよ。」

「私はもう来ませんわ。」

「馬鹿言え。」

「あら。来ないわよ。なにしに来るの?」

「君とさっぱりつきあいたいから、君を口説かないんじゃないか。」

「あきれるわ。」

「そういうことがもしあったら、明日はもう君の顔を見るのもいやになるかもしれん。話に気乗りするなんてことがなくなるよ。山から里へ出て来て、せっかく人なつっこいんだからね、君は口説かないんだ。だって、僕は旅行者じゃないか。」

「ええ。ほんとうね。」

「そうだよ。君にしたって、君が厭だと思う女となら、後で会うのも胸が悪いだろうが、自分が選んでやった女ならまだましだろう。」

「知らないっ。」と、強く投げつけてそっぽを向いたものの、

「それはそうだけれど。」

「なにしたらおしまいさ。味気ないよ。長続きしないだろう。」

「そう。ほんとうにみんなそうだわ。私の生れは港なの。ここは温泉場でしょう。」と、女は思いがけなく素直な調子で、

「お客はたいてい旅の人なんですもの。私なんかまだ子供ですけれど、いろんな人の話を聞いてみても、なんとなく好きで、その時は好きだとも言わなかった人の方が、いつまでもなつかしいのね。忘れないのね。別れた後ってそうらしいわ。向うでも思い出して、手紙をくれたりするのは、たいていそういうんですわ。」

女は窓から立ち上ると、今度は窓の下の畳に柔かく坐った。遠い日々を振り返るように見えながら、急に島村の身辺に坐ったという顔になった。

女の声にあまり実感が溢れているので、島村は苦もなく女を騙したかと、反ってうしろめたいほどだった。

しかし彼は嘘を言ったわけではなかった。女はとにかく素人である。彼の女ほしさは、この女にそれを求めるまでもなく、罪のない手軽さですむことだった。彼女は清潔過ぎた。一目見た時から、これと彼女とは別にしていた。

それに彼は夏の避暑地を選び迷っている時だったので、この温泉村へ家族づれで来ようかと思った。そうすれば女はさいわい素人だから、細君にもいい遊び相手になってもらえて、退屈まぎれに踊の一つも習えるだろう。本気にそう考えていた。女に友情のようなものを感じたといっても、彼はその程度の浅瀬を渡っていたのだった。

無論ここにも島村の夕景色の鏡はあったであろう。今の身の上が曖昧な女の後腐れを嫌うばかりでなく、夕暮の汽車の窓ガラスに写る女の顔のように非現実的な見方をしていたのかもしれない。

彼の西洋舞踊趣味にしてもそうだった。島村は東京の下町育ちなので、子供の時から歌舞伎芝居になじんでいたが、学生の頃は好みが踊や所作事に片寄って来て、そうなると一通りのことを究めぬと気のすまないたちゆえ、古い記録を漁ったり、家元を訪ね歩いたりして、やがては日本踊の新人とも知り合い、研究や批評めいた文章まで書くようになった。そうして日本踊の伝統の眠りにも新しい試みのひとりよがりにも、当然なまなましい不満を覚えて、もうこの上は自分が実際運動のなかへ身を投じて行くほかないという気持に狩り立てられ、日本踊の若手からも誘いかけられた時に、彼はふいと西洋舞踊に鞍替えしてしまった。日本踊は全く見ぬようになった。その代りに西洋舞踊の書物と写真を集め、ポスタアやプログラムの類まで苦労して外国から手に入れた。異国と未知とへの好奇心ばかりでは決してなかった。ここに新しく見つけた喜びは、目のあたり西洋人の踊を見ることが出来ないというところにあった。その証拠に島村は日本人の西洋舞踊は見向きもしないのだった。西洋の印刷物を頼りに西洋舞踊について書くほど安楽なことはなかった。見ない舞踊などこの世ならぬ話である。これほど机上の空論はなく、天国の詩である。研究とは名づけても勝手気儘な想像で、舞踊家の生きた肉体が踊る芸術を鑑賞するのではなく、西洋の言葉や写真から浮ぶ彼自身の空想が踊る幻影を鑑賞しているのだった。見ぬ恋にあこがれるようなものである。しかも、時々西洋舞踊の紹介など書くので文筆家の端くれに数えられ、それを自ら冷笑しながら職業のない彼の心休めとなることもあるのだった。

そういう彼の日本踊などの話が、女を彼に親しませる助けとなったのは、その知識が久し振りで現実に役立ったともいうべきありさまだったけれども、やはり島村は知らず識らずのうちに、女を西洋舞踊扱いにしていたのかもしれない。

だから、自分の淡い旅愁じみた言葉が、女の生活の急所に触れたらしいのを見ると、女を騙し

たかとうしろめたいぐらいだったが、

「そうしておけば、今度僕が家族を連れて来たって、君と気持よく遊べるさ。」

「ええ、そのことはもうよく分りましたわ。」と、女は声を沈めて微笑むと、少し芸者風にはしゃいで、

「私もそんなのが大好き、あっさりしたのが長続きするわ。」

「だから呼んでくれよ。」

「今？」

「うん。」

「驚きますわ。こんな真昼間になんにもおっしゃれないでしょう？」

「屑が残るといやだよ。」

「あんたそんなこと言うの、この土地を荒稼ぎの温泉場と考えちがいしてらっしゃるのよ。村の様子を見ただけでも分らないかしら。」と、女はいかにも心外らしく真剣な口振りで、ここにはそういう女のいないことを繰り返して力説した。島村が疑うと、女はむきになって、しかし一歩譲って、それはどうしようと芸者の勝手だけれども、ただ、うちへことわらずに泊れば芸者の責任で、どうなろうとかまってはくれないが、うちへことわっとけば抱主の責任で、どこまでも後を見てくれる、それだけのちがいだと言う。

「責任てなんだ。」

「子供が出来たり、体が悪くなったりすることですわ。」

島村は自分の頓馬な質問に苦笑いしながら、そのようにのんきな話も、この山の村にはあるかも知れないと思った。

無為徒食の彼は自然と保護色を求める心があってか、旅先の土地の人気には本能的に敏感だが、山から下りて来ると直ぐこの里のいかにもつましい眺めのうちに、のどかなものを受け取って、宿で聞いてみると、果してこの雪国でも最も暮しの楽な村の一つだとのことだった。つい近年鉄道の通じるまでは、主に農家の人々の湯治場だったという。芸者のいる家は料理屋とかしるこ屋とか色褪せた暖簾をかけているが、古風な障子のすすけたのを見ると、これで客があるのやら、そして日用雑貨の店や駄菓子屋にも、抱えをたった一人置いているのがあって、その主人達は店のほかに田畑で働くらしかった。師匠の家の娘だからではあろうが、鑑札のない娘がたまに宴会などの手伝いに出ても、咎め立てる芸者はないのだろう。

「それでどれくらいいるの。」

「芸者さん？　十二三人かしら。」

「なんていう人がいいの？」と、島村が立ち上ってベルを押すと、

「私は帰りますわね？」

「君が帰っちゃ駄目だよ。」

「厭なの。」と、女は屈辱を振り払うように、

「帰りますわ。いいのよ、なんとも思やしませんわ。また来ますわ。」

しかし女中を見ると、なにげなく坐り直した。女中が誰を呼ぼうかと幾度聞いても、女は名指しをしなかった。

ところが間もなく来た十七八の芸者を一目見るなり、島村の山から里へ出た時の女ほしさは味気なく消えてしまった。肌の底黒い腕がまだ骨張っていて、どこか初々しく人がよさそうだから、つとめて興醒めた顔をすまいと芸者の方を向いていたが、実は彼女のうしろの窓の新緑の山々が目についてならなかった。ものを言うのも気だるくなった。いかにも山里の芸者だった。島村がむっつりしているので、女は気をきかせたつもりらしく黙って立ち上って行ってしまうと、一層座が白けて、それでももう一時間くらいは経っただろうから、なんとか芸者を帰す工夫はないかと考えるうちに、電報為替の来ていたことを思い出したので郵便局の時間にかこつけて、芸者といっしょに部屋を出た。

しかし、島村は宿の玄関で若葉の匂いの強い裏山を見上げると、それに誘われるように荒っぽく登って行った。

なにがおかしいのか、一人で笑いが止まらなかった。

ほどよく疲れたところで、くるっと振り向きざま浴衣の尻からげして、一散に駆け下りて来ると、足もとから黄蝶が二羽飛び立った。

蝶はもつれ合いながら、やがて国境の山より高く、黄色が白くなってゆくにつれて、遙かだった。

「どうなすったの。」

女が杉林の陰に立っていた。

「うれしそうに笑ってらっしゃるわよ。」

「止めたよ。」と、島村はまたわけのない笑いがこみ上げて来て、

「止めた。」

「そう？」

女はふいとあちらを向くと、杉林のなかへゆっくり入った。彼は黙ってついて行った。

神社であった。苔のついた狛犬の傍の平な岩に女は腰をおろした。

「ここが一等涼しいの。真夏でも冷たい風がありますわ。」

「ここの芸者って、みなあんなのかね。」

「似たようなものでしょう。年増にはきれいな人がありますわ。」と、うつ向いて素気なく言った。その首に杉林の小暗い青が映るようだった。

島村は杉の梢を見上げた。

「もういいよ。体の力がいっぺんに抜けちゃって、おかしいようだよ。」

その杉は岩にうしろ手を突いて胸まで反らないと目の届かぬ高さ、しかも実に一直線に幹が立ち並び、暗い葉が空をふさいでいるので、しいんと静けさが鳴っていた。島村が背を寄せている

幹は、なかでも最も年古りたものだったが、どうしてか北側の枝だけが上まですっかり枯れて、その落ち残った根元は尖った杭を逆立ちに幹へ植え連ねたと見え、なにか恐しい神の武器のようであった。

「僕は思いちがいしてたんだな。山から下りて来て君を初めて見たもんだから、ここの芸者はきれいなんだろうと、うっかり考えてたらしい。」と、笑いながら、七日間の山の健康を簡単に洗濯しようと思いついたのも、実は初めにこの清潔な女を見たからだったろうかと、島村は今になって気がついた。

西日に光る遠い川を女はじっと眺めていた。手持無沙汰になった。

「あら忘れてたわ。お煙草でしょう。」と、女はつとめて気軽に、

「さっきお部屋へ戻ってみたら、もういらっしゃらないんでしょう。どうなすったかしらと思うと、えらい勢いでお一人山へ登ってらっしゃるんですもの。窓から見えたの。おかしかったわ。お煙草を忘れていらしたらしいから、持って来てあげたんですわ。」

そして彼の煙草を袂から出すとマッチをつけた。

「あの子に気の毒したよ。」

「そんなこと、お客さんの随意じゃないの、いつ帰そうと。」

石の多い川の音が円い甘さで聞えて来るばかりだった。杉の間から向うの山襞の陰るのが見えた。

「君とそう見劣りしない女でないと、後で君と会った時心外じゃないか。」

「知らないわ。負け惜みの強い方ね。」と、女はむっと嘲るように言ったけれども、芸者を呼ぶ前とは全く別な感情が二人の間に通っていた。

はじめからただこの女がほしいだけだ、それを例によって遠廻りしていたのだと、島村ははっきり知ると、自分が厭になる一方女がよけい美しく見えて来た。杉林の陰で彼を呼んでからの女は、なにかすっと抜けたように涼しい姿だった。

細く高い鼻が少し寂しいけれども、その下に小さくつぼんだ唇はまことに美しい蛭の輪のように伸び縮みがなめらかで、黙っている時も動いているかのような感じだから、もし皺があったり色が悪かったりすると、不潔に見えるはずだが、そうではなく濡れ光っていた。目尻が上りも下りもせず、わざと真直ぐに描いたような眼はどこかおかしいようながら、短い毛の生えつまった下り気味の眉が、それをほどよくつつんでいた。少し中高の円顔はまあ平凡な輪郭だが、白い陶器に薄紅を刷いたような皮膚で、首のつけ根もまだ肉づいていないから、美人というよりもなによりも、清潔だった。

お酌に出たこともある女にしては、こころもち鳩胸だった。

「ほら、いつの間にかこんなに蚋が寄って来ましたわ。」と、女は裾を払って立ち上った。

このまま静けさのなかにいては、もう二人の顔が所在なげに白けて来るばかりだった。

そしてその夜の十時頃だったろうか。女が廊下から大声に島村の名を呼んで、ばたりと投げ込まれたように彼の部屋へ入って来た。いきなり机に倒れかかると、その上のものを酔った手つきでつかみ散らして、ごくごく水を飲んだ。

この冬スキイ場でなじみになった男達が夕方山を越えて来たのに出会い、誘われるまま宿屋に寄ると、芸者を呼んで大騒ぎとなって、飲まされてしまったとのことだった。

頭をふらふらさせながら一人でとりとめなくしゃべり立ててから、

「悪いから行って来るわね。どうしたかと捜してるわ。後でまた来るわね。」と、よろけ出て行った。

一時間ほどすると、また長い廊下にみだれた足音で、あちこちに突きあたったり倒れたりして来るらしく、

「島村さあん、島村さあん。」と、甲高く叫んだ。

「ああ、見えない。島村さあん。」

それはもうまぎれもなく女の裸の心が自分の男を呼ぶ声であった。島村は思いがけなかった。しかし宿屋中に響き渡るにちがいない金切声だったから、当惑して立ち上ると、女は障子紙に指をつっこんで桟をつかみ、そのまま島村の体へぐらりと倒れた。

「ああ、いたわね。」

女は彼ともつれて坐って、もたれかかった。

「酔ってやしないよ。ううん、酔ってるもんか。苦しい。苦しいだけなのよ。性根は確かだよ。

ああっ、水飲みたい。ウイスキイとちゃんぽんに飲んだのがいけなかったの。あいつ頭へ来る、痛い。あの人達安壜（やすびん）を買って来たのよ。それ知らないで。」などと言って、掌（てのひら）でしきりに顔をこすっていた。

外の雨の音が俄（にわか）に激しくなった。

少しでも腕をゆるめると、女はぐたりとした。女の髪が彼の頬（ほお）で押しつぶれるほどに首をかかえているので、手は懐（ふところ）に入っていた。

彼がもとめる言葉には答えないで、女は両腕を閂（かんぬき）のように組んでもとめられたものの上をおさえたが、酔いしびれて力が入らないのか、

「なんだ、こんなもの。畜生。畜生。だるいよ。こんなもの。」と、いきなり自分の肘（ひじ）にかぶりついた。

彼が驚いて離させると、深い歯形がついていた。

しかし、女はもう彼の掌にまかせて、そのまま落書をはじめた。好きな人の名を書いて見せると言って、芝居や映画の役者の名前を二三十も並べてから、今度は島村とばかり無数に書き続けた。

島村の掌のありがたいふくらみはだんだん熱くなって来た。

「ああ、安心した。安心したよ。」と、彼はなごやかに言って、母のようなものさえ感じた。

女はまた急に苦しみ出して、身をもがいて立ち上ると、部屋の向うの隅（すみ）に突っ伏した。

「いけない、いけない。帰る、帰る。」

「歩けるもんか。大雨だよ。」

「跣足で帰る。這って帰る。」

「危いよ。帰るなら送ってやるよ。」

宿は丘の上で、嶮しい坂がある。

「帯をゆるめるか、少し横になって、醒ましたらいいだろう。」

「そんなことだめ。こうすればいいの、慣れてる。」と、女はしゃんと坐って胸を張ったが、息が苦しくなるばかりだった。窓をあけて吐こうとしても出なかった。身をもんで転りたいのを噛みこらえているありさまが続いて、時々意志を奮い起すように、帰る帰ると繰り返しながら、いつか午前二時を過ぎた。

「あんたは寝なさい。さあ、寝なさいったら。」

「君はどうするんだ。」

「こうやってる。少し醒まして帰る。夜のあけないうちに帰る。」と、いざり寄って島村を引っぱった。

「私にかまわないで寝なさいってば。」

島村が寝床に入ると、女は机に胸を崩して水を飲んだが、

「起きなさい。ねえ、起きなさいったら。」

「どうしろって言うんだ。」

「やっぱり寝てなさい。」

「なにを言ってるんだ。」と、島村は立ち上った。

女を引き摺って行った。

やがて、顔をあちらに反向けこちらに隠していた女が、突然激しく唇を突き出した。

しかしその後でも、寧ろ苦痛を訴える譫言のように、

「いけない。いけないの。お友達でいようって、あなたがおっしゃったじゃないの。」と、幾度繰り返したかしれなかった。

島村はその真剣な響きに打たれ、額に皺立て顔をしかめて懸命に自分を抑えている意志の強さには、味気なく白けるほどで、女との約束を守ろうかとも思った。

「私はなんにも惜しいものはないのよ。決して惜しいんじゃないのよ。だけど、そういう女じゃない。私はそういう女じゃないの。きっと長続きしないって、あんた自分で言ったじゃないの。」

酔いで半ば痺れていた。

「私が悪いんじゃないわよ。あんたが悪いのよ。あんたが負けたのよ。あんたが弱いのよ。私じゃないのよ。」などと口走りながら、よろこびにさからうためにそでをかんでいた。

しばらく気が抜けたみたいに静かだったが、ふと思い出して突き刺すように、

「あんた笑ってるわね。私を笑ってるわね。」

「笑ってやしない。」

「心の底で笑ってるでしょう。今笑ってなくっても、きっと後で笑うわ。」と、女はうつぶせになってむせび泣いた。

でも直ぐに泣き止むと、自分をあてがうように柔かくして、人なつっこくこまごまと身の上などを話し出した。酔いの苦しさは忘れたように抜けたらしかった。今のことにはひとことも触れなかった。

「あら、お話に夢中になって、ちっとも知らなかったわ。」と、今度はぼうっと微笑んだ。

夜のあけないうちに帰らねばならないと言って、

「まだ暗いわね。この辺の人はそれは早起きなの。」と、幾度も立ち上って窓をあけてみた。

「まだ人の顔は見えませんわね。今朝は雨だから、誰も田へ出ないから。」

雨のなかに向うの山や麓(ふもと)の屋根の姿が浮び出してからも、女は立ち去りにくそうにしていたが、宿の人の起きる前に髪を直すと、島村が玄関まで送ろうとするのも人目を恐れて、あわただしく逃げるように、一人で抜け出して行った。そして島村はその日東京に帰ったのだった。

「君はあの時、ああ言ってたけれども、あれはやっぱり嘘(うそ)だよ。そうでなければ、誰が年の暮にこんな寒いところへ来るものか。後でも笑やしなかったよ。」

　女がふっと顔を上げると、島村の掌に押しあてていた瞼から鼻の両側へかけて赤らんでいるのが、濃い白粉を透して見えた。それはこの雪国の夜の冷たさを思わせながら、髪の色の黒が強いために、温かいものに感じられた。

　その顔は眩しげに含み笑いを浮べていたが、そうするうちにも「あの時」を思い出すのか、まるで島村の言葉が彼女の体をだんだん染めて行くかのようだった。女はむっとしてうなだれると、襟をすかしているから、背なかの赤くなっているのまで見え、なまなましく濡れた裸を剝き出したようであった。髪の色との配合のために、尚そう思われるのかもしれない。前髪が細かく生えつまっているというのではないけれども、毛筋が男みたいに太くて、後れ毛一つなく、なにか黒い鉱物の重ったいような光だった。

　今さっき手に触れて、こんな冷たい髪の毛は初めてだとびっくりしたのは、寒気のせいではなく、こういう髪そのもののせいであったかと思えて、島村が眺め直していると、女は火燵板の上で指を折りはじめた。それがなかなか終らない。

「なにを勘定してるんだ。」と聞いても、黙ってしばらく指折り数えていた。

「五月の二十三日ね。」

「そうか。日数を数えてたのか。七月と八月と大が続くんだよ。」

「ね、百九十九日目だわ。ちょうど百九十九日目だわ。」

「だけど、五月二十三日って、よく覚えてるね。」

「日記を見れば、直ぐ分るわ。」

「日記？　日記をつけてるの？」

「ええ、古い日記を見るのは楽しみですわ。なんでも隠さずその通りに書いてあるから、ひとりで読んでいても恥ずかしいわ。」

「いつから。」

「東京でお酌に出る少し前から。その頃はお金が自由にならないでしょう。自分で買えないの。二銭か三銭の雑記帳にね、定規をあてて、細かい罫を引いて、それが鉛筆を細く削ったとみえて、線が綺麗に揃ってるんですの。そうして帳面の上の端から下の端まで、細かい字がぎっちり書いてあるの。自分で買えるようになったら、駄目。物を粗末に使うから。手習だって、元は古新聞に書いてたけれど、この頃は巻紙へじかでしょう。」

「ずっと欠かさず日記をつけてるのかい。」

「ええ、十六の時のと今年のとが、一番面白いわ。いつもお座敷から帰って、寝間着に着替えてつけたのね。遅く帰るでしょう。ここまで書いて、中途で眠ってしまったなんて、今読んでも分るところがあるの。」

「そうかねえ。」

「だけど、毎日毎日ってんじゃなく、休む日もあるのよ。こんな山の中だし、お座敷へ出たって、きまりきってるでしょう。今年は頁毎に日附の入ったのしか買えなくて、失敗したわ。書き出せばどうしても長くなることがあるもの。」

日記の話よりも尚島村が意外の感に打たれたのは、彼女は十五六の頃から、読んだ小説を一々書き留めておき、そのための雑記帳がもう十冊にもなったということであった。

「感想を書いとくんだね？」

「感想なんか書けませんわ。題と作者と、それから出て来る人物の名前と、その人達の関係と、それくらいのものですわ。」

「そんなものを書き止めといたって、しようがないじゃないか。」

「しようがありませんわ。」

「徒労だね。」

「そうですわ。」と、女はこともなげに明るく答えて、しかしじっと島村を見つめていた。

全く徒労であると、島村はなぜかもう一度声を強めようとした途端に、雪の鳴るような静けさが身にしみて、それは女に惹きつけられたのであった。彼女にとってはそれが徒労であろうはずがないとは彼も知りながら、頭から徒労だと叩きつけると、なにか反って彼女の存在が純粋に感じられるのであった。

この女の小説の話は、日常使われる文学という言葉とは縁がないもののように聞えた。婦人雑誌を交換して読むくらいしか、この村の人との間にそういう友情はなく、後は全く孤立して読んでいるらしかった。選択もなく、さほどの理解もなく、宿屋の客間などでも小説本や雑誌を見つける限り、借りて読むという風であるらしかったが、彼女が思い出すままに挙げる新しい作家の名前など、島村の知らないのが少くなかった。しかし彼女の口振りは、まるで外国文学の遠い話をしているようで、無慾な乞食に似た哀れな響きがあった。自分が洋書の写真や文字を頼りに、西洋の舞踊を遥かに夢想しているのもこんなものであろうと、島村は思ってみた。

彼女もまた見もしない映画や芝居の話を、楽しげにしゃべるのだった。こういう話相手に幾月も飢えていた後なのであろう。百九十九日前のあの時も、こういう話に夢中になったことが、自ら進んで島村に身を投げかけてゆくはずみとなったのも忘れてか、またしても自分の言葉の描くもので体まで温まって来る風であった。

しかし、そういう都会的なものへのあこがれも、今はもう素直なあきらめにつつまれて無心な夢のようであったから、都の落人じみた高慢な不平よりも、単純な徒労の感が強かった。彼女自らはそれを寂しがる様子もないが、島村の眼には不思議な哀れとも見えた。その思いに溺れたなら、島村自らが生きていることも徒労であるという、遠い感傷に落されて行くのであろう。けれども目の前の彼女は山気に染まって生き生きした血色だった。

いずれにしろ、島村は彼女を見直したことにはなるので、相手が芸者というものになった今は反って言い出しにくかった。

あの時彼女は泥酔していて、痺れて役に立たぬ腕を歯痒いがって、

「なんだこんなもの。畜生。畜生。だるいよ。こんなもの。」と、肘に激しくかぶりついたほどであった。

　足が立たないので、体をごろんごろん転がして、

「決して惜しいんじゃないのよ。だけどそういう女じゃない。私はそういう女じゃないの。」と言った言葉も思い出されて来て、島村はためらっていると女は素早く気づいて撥ね返すように、

「零時の上りだわ。」と、ちょうどその時聞えた汽笛に立ち上って、思い切り乱暴に紙障子とガラス戸をあけ、手摺へ体を投げつけざま窓に腰かけた。

　冷気が部屋へいちどきに流れ込んだ。汽車の響きは遠ざかるにつれて、夜風のように聞えた。

「おい、寒いじゃないか。馬鹿。」と、島村も立ち上って行くと風はなかった。

　一面の雪の凍りつく音が地の底深く鳴っているような、厳しい夜景であった。月はなかった。嘘のように多い星は、見上げていると、虚しい速さで落ちつつあると思われるほど、あざやかに浮き出ていた。星の群が目へ近づいて来るにつれて、空はいよいよ遠く夜の色を深めた。国境の山々はもう重なりも見分けられず、そのかわりそれだけの厚さがありそうないぶした黒で、星空の裾に重みを垂れていた。すべて冴え静まった調和であった。

　島村が近づくのを知ると、女は手摺に胸を突っ伏せた。それは弱々しさではなく、こういう夜を背景にして、これより頑固なものはないという姿であった。島村はまたかと思った。

　しかし、山々の色は黒いにかかわらず、どうしたはずみかそれがまざまざと白雪の色に見えた。

そうすると山々が透明で寂しいものであるかのように感じられて来た。空と山とは調和などしていない。

島村は女の咽仏(のどぼとけ)のあたりを摑(つか)んで、

「風邪(かぜ)を引く。こんなに冷たい。」と、ぐいとうしろへ起そうとした。女は手摺にしがみつきながら声をつまらせて、

「私帰るわ。」

「帰れ。」

「もうしばらくこうさしといて。」

「それじゃ僕はお湯に入って来るよ。」

「いやよ。ここにいなさい。」

「窓をしめてくれ。」

「もうしばらくこうさしといて。」

村は鎮守(ちんじゅ)の杉林の陰に半ば隠れているが、自動車で十分足らずの停車場の燈火は、寒さのためぴいんぴいんと音を立てて毀(こわ)れそうに瞬(またた)いていた。

女の頬も、窓のガラスも、自分のどてらの袖(そで)も、手に触(さわ)るものは皆、島村にはこんな冷たさは初めてだと思われた。

足の下の畳までが冷えて来るので、一人で湯に行こうとすると、

「待って下さい。私も行きます。」と、今度は女が素直について来た。

彼の脱ぎ散らすものを女が乱れ籠に揃えているところへ、男の泊り客が入って来たが、島村の胸の前へすくんで顔を隠した女に気がつくと、

「あっ、失礼しました。」

「いいえ、どうぞ。あっちの湯へ入りますから。」と、島村はとっさに言って、裸のまま乱れ籠を抱えて隣りの女湯の方へ行った。女は無論夫婦面でついて来た。島村は黙って後も見ずに温泉へ飛び込んだ。安心して高笑いがこみ上げて来るので、湯口に口をあてて荒っぽく嗽いをした。

部屋に戻ってから、女は横にした首を軽く浮かして鬢を小指で持ち上げながら、

「悲しいわ。」と、ただひとこと言っただけであった。

女が黒い眼を半ば開いているのかと、近々のぞきこんでみると、それは睫毛であった。

神経質な女は一睡もしなかった。

固い女帯をしごく音で、島村は目が覚めたらしかった。

「早く起して悪かったわ。まだ暗いわね。ねえ、見て下さらない?」と、女は電燈を消した。

「私の顔が見える? 見えない?」

「見えないよ。まだ夜が明けないじゃないか。」

「嘘よ。よく見て下さらなければ駄目よ。どう?」と、女は窓を明け放して、

「いけないわ。見えるわね。私帰るわ。」

明け方の寒さに驚いて、島村が枕から頭を上げると、空はまだ夜の色なのに、山はもう朝であった。

「そう、大丈夫。今は農家が暇だから、こんなに早く出歩く人はないわ。でも山へ行く人があるかしら。」と、ひとりごとを言いながら、女は結びかかった帯をひきずって歩き、

「今の五時の下りでお客がなかったわね。宿の人はまだまだ起きないわ。」

帯を結び終ってからも、女は立ったり坐ったり、そうしてまた窓の方ばかり見て歩き廻った。それは夜行動物が朝を恐れて、いらいら歩き廻るような落ちつきのなさだった。妖しい野性がたかぶって来るさまであった。

そうするうちに部屋のなかまで明るんで来たか、女の赤い頬が目立って来た。島村は驚くばかりあざやかな赤い色に見とれて、

「頬っぺたが真赤じゃないか、寒くて。」

「寒いんじゃないわ。白粉を落したからよ。私は寝床へ入ると直ぐ、足の先までぽっぽして来るの。」と、枕もとの鏡台に向って、

「とうとう明るくなってしまったわ。帰りますわ。」

島村はその方を見て、ひょっと首を縮めた。鏡の奥が真白に光っているのは雪である。その雪のなかに女の真赤な頬が浮んでいる。なんともいえぬ清潔な美しさであった。

もう日が昇るのか、鏡の雪は冷たく燃えるような輝きを増して来た。それにつれて雪に浮ぶ女

の髪もあざやかな紫光りの黒を強めた。

雪を積らせぬためであろう、湯槽から溢れる湯を俄づくりの溝で宿の壁沿いにめぐらせてあるが、玄関先では浅い泉水のように拡がっていた。黒く逞しい秋田犬がそこの踏石に乗って、長いこと湯を舐めていた。物置から出して来たらしい、客用のスキイが干し並べてある、そのほのかな黴の匂いは、湯気で甘くなって、杉の枝から共同湯の屋根に落ちる雪の塊も、温かいもののように形が崩れた。

やがて年の暮から正月になれば、あの道が吹雪で見えなくなる。山袴にゴムの長靴、マントにくるまり、ヴェエルをかぶって、お座敷へ通わねばならぬ。その頃の雪の深さは一丈もある。そう言って、丘の上の宿の窓から、女が夜明け前に見下していた坂道を、島村は今下りて行くのであったけれども、道端に高く干した襁褓の下に、国境の山々が見えて、その雪の輝きものどかであった。青い葱はまだ雪に埋もれてはいなかった。

田圃で村の子供がスキイに乗っていた。

街道の村へ入ると、静かな雨滴のような音が聞えていた。

軒端の小さい氷柱が可愛く光っていた。

屋根の雪を落す男を見上げて、
「ねえ、ついでにうちのも少し落してくれない？」と、湯帰りの女が眩しそうに濡れ手拭で額を拭いた。スキイ季節を目指して早くも流れこんで来た女給であろう。隣家はガラス窓の色絵も古び、屋根のゆがんだカフエであった。

たいていの家の屋根は細かい板で葺いて、上に石が置き並べてある。それらの円い石は日のあたる半面だけ雪のなかに黒い肌を見せているが、その色は湿ったというよりも永の風雪にさらされた黒ずみのようである。そして家々はまたその石の感じに似た姿で、低い屋並みが北国らしくじっと地に伏したようであった。

子供の群が溝の氷を抱き起して来ては、道に投げて遊んでいた。脆く砕け飛ぶ際に光るのが面白いのだろう。日光のなかに立っていると、その氷の厚さが嘘のように思われて、島村はしばらく眺め続けた。

十三四の女の子が一人石垣にもたれて、毛糸を編んでいた。山袴に高下駄を履いていたが、足袋はなく、赤らんだ素足の裏に皸が見えた。傍の粗朶の束に乗せられて、三歳ばかりの女の子が無心に毛糸の玉を持っていた。小さい女の子から大きい女の子へ引っぱられる一筋の灰色の古毛糸も暖かく光っていた。

七八軒先きのスキイ製作所から鉋の音が聞える。その反対側の軒陰に芸者が五六人立話をしていた。今朝になって宿の女中からその芸名を聞いた駒子もそこにいそうだと思うと、やっぱり彼女は彼の歩いて来るのを見ていたらしく、一人生真面目な顔つきであった。きっと真赤になるにきまっている、なにげない風を装ってくれるようにと、島村が考える暇もなく、駒子はもう咽まで染めてしまった。それなら後向きになればいいのに、窮屈そうに眼を伏せながら、しかも彼の歩みにつれて、その方へ少しずつ顔を動かして来る。

島村も頬が火照るようで、さっさと通り過ぎると、直ぐに駒子が追っかけて来た。

「困るわ、あんなとこお通りになっちゃ。」

「困るって、こっちこそ困るよ。あんなに勢揃いしてられると、恐ろしくて通れんね。いつもああかい。」

「そうね、おひる過ぎは。」

「顔を赤くしたり、ばたばた追っかけて来たりすれば、なお困るじゃないか。」

「かまやしない。」と、はっきり言いながら駒子はまた赤くなると、その場に立ち止まってしまって、道端の柿の木につかまった。

「うちへ寄っていただこうと思って、走って来たんですわ。」

「君の家がここか。」

「ええ。」

「日記を見せてくれるなら、寄ってもいいね。」

「あれは焼いてから死ぬの。」

「だって君の家、病人があるんだろう。」

「あら。よく御存じね。」

「昨夜、君も駅へ迎えに出てたじゃないか、濃い青のマントを着て。僕はあの汽車で、病人の直ぐ近くに乗って来たんだよ。実に真剣に、実に親切に、病人の世話をする娘さんが附き添ってたけど、あれ細君かね。ここから迎えに行った人？　東京の人？　まるで母親みたいで、僕は感心して見てたんだ。」

「あんた、そのこと昨夜どうして私に話さなかったの。なぜ黙ってたの。」と、駒子は気色ばんだ。

「細君かね。」

しかしそれには答えないで、

「なぜ昨夜話さなかったの。おかしな人。」

島村は女のこういう鋭さを好まなかった。けれども女をこんな風に鋭くするわけは、島村にも駒子にもないはずだと思われるので、それでは駒子の性格の現われかとも見られたが、とにかく繰り返して突っ込まれると、彼は急所にさわられたような気はして来るのであった。今朝山の雪を写した鏡のなかに駒子を見た時も、無論島村は夕暮の汽車の窓ガラスに写っていた娘を思い出したのだったのに、なぜそれを駒子に話さなかったのだろうか。

「病人がいたっていいですわ。私の部屋へは誰も上って来ませんわ。」と、駒子は低い石垣のなかへ入った。

右手は雪をかぶった畑で、左には柿の木が隣家の壁沿いに立ち並んでいた。家の前は花畑らしく、その真中の小さい蓮池の氷は縁に持ち上げてあって、緋鯉が泳いでいた。柿の木の幹のように家も朽ち古びていた。雪の斑らな屋根は板が腐って軒に波を描いていた。

土間へ入ると、しんと寒くて、なにも見えないでいるうちに、梯子を登らせられた。それはほんとうに梯子であった。上の部屋もほんとうに屋根裏であった。

「お蚕さまの部屋だったのよ。驚いたでしょう。」

「これで、酔っ払って帰って、よく梯子を落ちないね。」

「落ちるわ。だけどそんな時は下の火燵に入ると、たいていそのまま眠ってしまいますわ。」と、駒子は火燵蒲団に手を入れてみて、火を取りに立った。

島村は不思議な部屋のありさまを見廻した。低い明り窓が南に一つあるきりだけれども、桟の目の細かい障子は新しく貼り替えられ、それに日射しが明るかった。壁にも丹念に半紙が貼ってあるので、古い紙箱に入った心地だが、頭の上は屋根裏がまる出しで、窓の方へ低まって来ているものだから、黒い寂しさがかぶさったようであった。壁の向側はどうなってるのだろうと考えると、この部屋が宙に吊るさっているような気がして来て、なにか不安定であった。しかし壁や畳は古びていながら、いかにも清潔であった。

蚕のように駒子も透明な体でここに住んでいるかと思われた。

置火燵には山袴とおなじ木綿縞の蒲団がかかっていた。箪笥は古びているが、駒子の東京暮しの名残か、柾目のみごとな桐だった。それと不似合に粗末な鏡台だった。朱塗の裁縫箱がまた贅沢なつやを見せていた。壁に板を段々に打ちつけたのは、本箱なのであろう、めりんすのカアテンが垂らしてあった。

昨夜の座敷着が壁にかかって、襦袢の赤い裏を開いていた。

駒子は十能を持って、器用に梯子を上って来ると、

「病人の部屋からだけれど、火は綺麗だって言いますわ。」と、結いたての髪を伏せながら、火燵の灰を搔き起して、病人は腸結核で、もう故郷へ死にに帰ったのだと話した。

故郷とはいえ、息子はここで生れたのではない。ここは母の村なのだ。母は港町で芸者を勤め上げた後も、踊の師匠としてそこにとどまっていたが、まだ五十前で中風をわずらい、療養かたがたこの温泉へ帰って来た。息子は小さい時から機械が好きで、せっかく時計屋に入っていたから、港町に残して置いたところ、間もなく東京に出て、夜学に通っていたらしい。体の無理が重なったのだろう。今年二十六という。

それだけを駒子は一気に話したけれども、息子を連れて帰った娘がなにものであるか、どうして駒子がこの家にいるのかというようなことには、やはり一言も触れなかった。

しかしそれだけでも、宙に吊るされたような部屋の工合では、駒子の声が八方へ洩れそうで、島村は落ちついていられなかった。

門口を出しなに、ほの白いものが眼について振り返ると、桐の三味線箱だった。実際よりも大きく長いものに感じられて、これを座敷へ担いで行くなんて嘘のような気がしていると、煤けた襖があいて、

「駒ちゃん、これを跨いじゃいけないの？」

澄み上って悲しいほど美しい声だった。どこかから木魂が返って来そうであった。

島村は聞き覚えている、夜汽車の窓から雪のなかの駅長を呼んだ、あの葉子の声である。

「いいわ。」と、駒子が答えると、葉子は山袴でひょいと三味線を跨いだ。ガラスの溲瓶をさげていた。

駅長と知合いらしい昨夜の話振りでも、この山袴でも、葉子がここらあたりの娘なことは明らかだが、派手な帯が半ば山袴の上に出ているので、山袴の蒲色と黒とのあらい木綿縞はあざやかに引き立ち、めりんすの長い袂も同じわけで艶めかしかった。山袴の股は膝の少し上で割れているから、ゆっくり膨らんで見え、しかも硬い木綿がひきしまって見え、なにか安らかであった。

しかし葉子はちらっと刺すように島村を一目見ただけで、ものも言わずに土間を通り過ぎた。

島村は表に出てからも、葉子の目つきが彼の額の前に燃えていそうでならなかった。それは遠いともし火のように冷たい。なぜならば、汽車の窓ガラスに写る葉子の顔を眺めているうちに、野山のともし火がその彼女の顔の向うを流れ去り、ともし火と瞳とが重なって、ぼうっと明るく

なった時、島村はなんともいえぬ美しさに胸が顫えた、その昨夜の印象を思い出すからであろう。それを思い出すと、鏡のなかいっぱいの雪のなかに浮んだ、駒子の赤い頰も思い出されて来る。

そうして足が早くなった。小肥りの白い足にかかわらず、登山を好む島村は山を眺めながら歩くと放心状態となって、知らぬうちに足が早まる。いつでも忽ち放心状態に入り易い彼にとっては、あの夕景色の鏡や朝雪の鏡が、人工のものとは信じられなかった。自然のものであった。そして遠い世界であった。

今出て来たばかりの駒子の部屋までが、もうその遠い世界のように思われる。そういう自分にさすが驚いて、坂を登りつめると、女按摩が歩いていた。島村はなにかつかまえるように、

「按摩さん、揉んでもらえないかね。」

「そうですね。今何時ですかしら。」と、竹の杖を小脇に抱えると、右手で帯の間から蓋のある懐中時計を出して、左の指先で文字盤をさぐりながら、

「二時三十五分過ぎでございますね。三時半に駅の向うへ行かんなりませんけれども、少し後れてもいいかな。」

「よく時計の時間が分るね。」

「はい、ガラスが取ってございますから。」

「さわると字が分るかね。」

「字は分りませんけれども。」と、女持ちには大きい銀時計をもう一度出して蓋をあけると、こ

こが十二時ここが六時、その真中が三時という風に指で抑えて見せ、

「それから割り出して、一分までは分らなくても、二分とはまちがいません。」

「そうかね。坂道なんか辷らないかね。」

「雨が降れば娘が迎えに来てくれます。夜は村の人を揉むで、もうここへは登って来ません。亭主が出さないのだと、宿の女中さんが言うからかないませんわ。」

「子供さんはもう大きいの？」

「はい。上の女は十三になります。」などと話しながら部屋に来て、しばらく黙って揉んでいたが、遠い座敷の三味線の音に首を傾けた。

「誰かな。」

「君は三味線の音で、どの芸者か皆分るかい。」

「分る人もあります。分らんのもあります。旦那さん、ずいぶん結構なお身分で、柔かいお体でございますね。」

「凝ってないだろう。」

「凝って、首筋が凝っております。ちょうどよい工合に太ってらっしゃいますが、お酒は召し上りませんね。」

「よく分るな。」

「ちょうど旦那さまと同じような姿形のお客さまを、三人知っております。」

「至極平凡な体だがね。」

「なんでございますね、お酒を召し上らないと、ほんとうに面白いということがございませんね、なにもかも忘れてしまう。」

「君の旦那さんは飲むんだね。」

「飲んで困ります。」

「誰だか下手な三味線だね。」

「はい。」

「君は弾くんだろう。」

「はい。九つの時から二十まで習いましたけれど、亭主を持ってから、もう十五年も鳴らしません。」

盲は年より若く見えるものであろうかと島村は思いながら、

「小さい時に稽古したのは確かだね。」

「手はすっかり按摩になってしまいましたけれど、耳はあいております。こうやって芸者衆の三味線を聞いてますと、じれったくなったりして、はい、昔の自分のような気がするんでございましょうね。」と、また耳を傾けて、

「井筒屋のふみちゃんかしら。一番上手な子と一番下手な子は、一番よく分りますね。」

「上手な人もいるかい。」

「駒ちゃんという子は、年が若いけれど、この頃達者になりましたねえ。」

「ふうん。」

「旦那さん、御存じなんですね。そりゃ上手と言っても、こんな山ん中でのことですから。」

「いや知らないけれど、師匠の息子が帰るのと、昨夜同じ汽車でね。」

「おや、よくなって帰りましたか。」

「よくないようだったね。」

「はあ？　あの息子さんが東京で長患い（ながわずらい）したために、その駒子という子がこの夏芸者に出てまで、病院の金を送ったそうですが、どうしたんでしょう。」

「その駒子って？」

「でもまあ、尽すだけ尽しておけば、いいなずけだというだけでも、後々までねえ。」

「いいなずけって、ほんとうのことかね。」

「はい。いいなずけだそうでございますよ。私は知りませんが、そういう噂（うわさ）でございますね。」

温泉宿で女按摩から芸者の身の上を聞くとは、余りに月並で、反（かえ）って思いがけないことであったが、駒子がいいなずけのために芸者に出たというのも、余りに月並な筋書で、島村は素直にのみこめぬ心地であった。それは道徳的な思いに突き当ったせいかもしれなかった。

彼が話に深入りして聞きたく思いはじめたけはいで、按摩は黙ってしまった。

駒子が息子のいいなずけだとして、葉子が息子の新しい恋人だとして、しかし息子はやがて死ぬのだとすれば、島村の頭にはまた徒労という言葉が浮んで来た。駒子がいいなずけの約束を守り通したことも、身を落してまで療養させたことも、すべてこれ徒労でなくてなんであろう。

駒子に会ったら、頭から徒労だと叩きつけてやろうと考えると、またしても島村にはなにか反って彼女の存在が純粋に感じられて来るのだった。

この虚偽の痲痺には、破廉恥な危険が匂っていて、島村はじっとそれを味わいながら、按摩が帰ってからも寝転んでいると、胸の底まで冷えるように思われたが、気がつけば窓を明け放したままなのであった。

山峡は日陰となるのが早く、もう寒々と夕暮色が垂れていた。そのほの暗さのために、まだ西日が雪に照る遠くの山々はすうっと近づいて来たようであった。

やがて山それぞれの遠近や高低につれて、さまざまの襞の陰を深めて行き、峰にだけ淡い日向を残す頃になると、頂の雪の上は夕焼空であった。

村の川岸、スキイ場、社など、ところどころに散らばる杉木立が黒々と目立ち出した。

島村は虚しい切なさに曝されているところへ、温い明りのついたように駒子が入って来た。

スキイ客を迎える準備の相談会がこの宿にある。その後の宴会に呼ばれたと言った。火燵に入ると、いきなり島村の頬を撫で廻しながら、

「今夜は白いわ。変だわ。」

そして揉みつぶすように柔かい頬の肉を摑んで、

「あんたは馬鹿だ。」

もう少し酔っているらしかったが、宴会を終えて来た時は、

「知らん。もう知らん。頭痛い。頭痛い。ああ、難儀だわ、難儀。」と、鏡台の前に崩れ折れると、おかしいほど一時に酔いが顔へ出た。

「水飲みたい、水頂戴。」

顔を両手で抑えて、髪の毀れるのもかまわずに倒れていたが、やがて坐り直してクリイムで白粉を落すと、余りに真赤な顔が剝き出しになったので、駒子も自分ながら楽しげに笑い続けた。面白いほど早く酒が醒めて来た。寒そうに肩を顫わせた。

そして静かな声で、八月いっぱい神経衰弱でぶらぶらしていたなどと話しはじめた。

「気ちがいになるのかと心配だったわ。なにか一生懸命に思いつめてるんだけれど、なにを思いつめてるか、自分によく分らないの。怖いでしょう。ちっとも眠れないし、それでお座敷へ出た時だけしゃんとするのよ。いろんな夢を見たわ。御飯もろくに食べられないものね。畳へね、縫針を突き刺したり抜いたり、そんなことをいつまでもしてるのよ、暑い日中にさ。」

「芸者に出たのは何月。」

「六月。もしかしたら私、今頃は浜松へ行ってたかしれないのよ。」

「世帯を持って？」

駒子はうなずいた。浜松の男に結婚してくれと追い廻されたが、どうしても男が好きになれな

いで、ずいぶん迷ったと言った。

「好きでないものを、なにも迷うことないじゃないか。」

「そうはいかないわ。」

「結婚て、そんな力があるかな。」

「いやらしい。そうじゃないけれど、私は身のまわりがきちんとかたづいてないと、いられないの。」

「うん。」

「あんた、いい加減な人ね。」

「だけど、その浜松の人となにかあったのかい。」

「あれば迷うことないじゃないの。」と、駒子は言い放って、

「でも、お前がこの土地にいる間は、誰とも結婚させない。どんなことしても邪魔してやるって言ったわよ。」

「浜松のような遠くにいてね。君はそんなことを気にしてるの。」

駒子はしばらく黙って、自分の体の温かさを味わうような風にじっと横たわっていたが、ふいとなにげなく、

「私妊娠していると思ってたのよ。ふふ、今考えるとおかしくって、ふふふ。」と、含み笑いしながら、くっと身をすくめると、両の握(にぎ)り拳(こぶし)で島村の襟(えり)を子供みたいに摑んだ。

閉じ合わした濃い睫毛がまた、黒い目を半ば開いているように見えた。

翌る朝、島村が目を覚ますと、駒子はもう火鉢へ片肘突いて古雑誌の裏に落書していたが、

「ねえ、帰れないわ。女中さんが火を入れに来て、みっともない、驚いて飛び起きたら、もう障子に日があたってるんですもの。昨夜酔ってたから、とろとろと眠っちゃったらしいわ。」

「幾時。」

「もう八時。」

「お湯へ行こうか。」と、島村は起き上った。

「いや、廊下で人に会うから。」と、まるでおとなしい女になってしまって、島村が湯から帰った時は、手拭を器用にかぶって、かいがいしく部屋の掃除をしていた。

机の足や火鉢の縁まで癇性に拭いて、灰を掻きならすのがもの馴れた様子であった。

島村が火燵へ足を入れたままごろ寝して煙草の灰を落すと、それを駒子はハンカチでそっと拭き取っては、灰皿をもって来た。島村は朝らしく笑い出した。駒子も笑った。

「君が家を持ったら、亭主は叱られ通しだね。」

「なにも叱りゃしないじゃないの。洗濯するものまで、きちんと畳んでおくって、よく笑われる

けれど、性分ね。」

「箪笥（たんす）のなかを見れば、その女の性質が分るって言うよ。」

部屋いっぱいの朝日に温まって飯を食いながら、

「いいお天気。早く帰って、お稽古をすればよかったわ。こんな日は音がちがう。」

駒子は澄み深まった空を見上げた。

遠い山々は雪が煙ると見えるような柔かい乳色につつまれていた。

島村は按摩の言葉を思い合わせて、ここで稽古をすればいいと言うと、駒子は直ぐに立ち上って、着替えといっしょに長唄の本を届けるように家へ電話をかけた。

昼間見たあの家に電話があるのかと思うと、また島村の頭には葉子の眼が浮んで来て、

「あの娘さんが持って来るの？」

「そうかもしれないわ。」

「君はあの、息子さんのいいなずけだって？」

「あら。いつそんなことを聞いたの。」

「昨日。」

「おかしな人。聞いたら聞いたで、なぜ昨夜そう言わなかったの。」と、しかし今度は昨日の昼間とちがって、駒子は清潔に微笑（ほほえ）んでいた。

「君を軽蔑（けいべつ）してなければ、言いにくいさ。」

「心にもないこと。東京の人は嘘つきだから嫌い。」

「それ、僕が言い出せば、話をそらすじゃないか。」

「そらしゃしないわ。それで、あんたそれをほんとうにしたの？」

「ほんとうにした。」

「またあんた嘘言うわ。ほんとうにしないくせして。」

「そりゃ、のみこめない気はしたさ。だけど、君がいいなずけのために芸者になって、療養費を稼いでると言うんだからね。」

「いやらしい、そんな新派芝居みたいなこと。いいなずけは嘘よ。そう思ってる人が多いらしいわ。別に誰のために芸者になったってわけじゃないけれど、するだけのことはしなければいけないわ。」

「謎みたいなことばかり言ってる。」

「はっきり言いますわ。お師匠さんがね、息子さんと私といっしょになればいいと、思った時があったかもしれないの。心のなかだけのことで、口には一度も出しゃしませんけれどね。そういうお師匠さんの心のうちは、息子さんも私も薄々知ってたの。だけど、二人は別になんでもなかった。ただそれだけ。」

「幼馴染だね。」

「ええ、でも、別れ別れに暮して来たのよ。東京へ売られて行く時、あの人がたった一人見送ってくれた。一番古い日記の一番初めに、そのことが書いてあるわ。」

「二人ともその港町にいたら、今頃は一緒になってたかもしれないね。」

「そんなことはないと思うわ。」

「そうかねえ。」

「人のこと心配しなくてもいいわよ。もうじき死ぬから。」

「それによそへ泊るのなんかよくないね。」

「あんた、そんなこと言うのがよくないのよ。私の好きなようにするのを、死んで行く人がどうして止められるの？」

島村は返す言葉がなかった。

しかし、駒子がやはり葉子のことに一言も触れないのは、なぜであろうか。

また葉子にしても、汽車の中でまで幼い母のように、我を忘れてあんなにいたわりながらつれて帰った男のなにかである駒子のところへ、朝になって着替えを持って来るのは、どういう思いであろうか。

島村が彼らしく遠い空想をしていると、

「駒ちゃん、駒ちゃん。」と、低くても澄み通る、あの葉子の美しい呼び声が聞えた。

「はい、御苦労さま。」と、駒子は次の間の三畳へ立って行って、

「葉子さんが来てくれたの？　まあ、こんなにみんな、重かったのに。」

葉子は黙って帰ったらしかった。

駒子は三の糸を指ではじき切って附け替えてから、調子を合わせた。その間にもう彼女の音の冴えは分ったが、火燵の上に嵩張った風呂敷包を開いてみると、普通の稽古本の外に、杵家弥七の文化三味線譜が二十冊ばかり入っていたので、島村は意外そうに手に取って、

「こんなもので稽古したの？」

「だって、ここにはお師匠さんがないんですもの。しかたがないわ。」

「うちにいるじゃないか。」

「中風ですわ。」

「中風だって、口で。」

「その口もきけなかったの。まだ踊は、動く方の左手で直せるけれど、三味線は耳がうるさくなるばっかり。」

「これで分るのかね。」

「よく分るわ。」

「素人ならとにかく芸者が、遠い山のなかで、殊勝な稽古をしてるんだから、音譜屋さんも喜ぶだろう。」

「お酌は踊が主だし、それからも東京で稽古させてもらったのは、踊だったの。三味線はほんの少しうろ覚えですもの、忘れたらもう浚ってくれる人もなし、音譜が頼りですわ。」

「唄は？」

「いや、唄は。そう、踊の稽古の時に聞き馴れたのは、どうにかいいけれど、新しいのはラジオや、それからどこかで聞き覚えて、でもどうだか分らないわ。我流が入ってて、きっとおかしいでしょう。それに馴染みの人の前では、声が出ないの。知らない人だと、大きな声で歌えるけれど。」と、少しはにかんでから、唄を待つ風に、さあと身構えして、島村の顔を見つめた。

島村ははっと気押された。

彼は東京の下町育ちで、幼い時から歌舞伎や日本踊になじむうちに長唄の文句くらいは覚え、自ずと耳慣れているが、自分で習いはしなかった。長唄といえば直ぐ踊の舞台が思い浮び、芸者の座敷を思い出さぬという風である。

「いやだわ。一番肩の張るお客さま。」と、駒子はちらっと下唇を噛んだが、三味線を膝に構えると、それでもう別の人になるのか、素直に稽古本を開いて、

「この秋、譜で稽古したのね。」

勧進帳であった。

忽ち島村は頬から鳥肌立ちそうに涼しくなって、腹まで澄み通って来た。たわいなく空にされた頭のなかいっぱいに、三味線の音が鳴り渡った。全く彼は驚いてしまったと言うよりも叩きのめされてしまったのである。敬虔の念に打たれた、悔恨の思いに洗われた。自分はただもう無力であって、駒子の力に思いのまま押し流されるのを快いと身を捨てて浮ぶよりしかたがなかった。

十九や二十の田舎芸者の三味線なんか高が知れてるはずだ、お座敷だのにまるで舞台のように弾いてるじゃないか、おれ自身の山の感傷に過ぎんなどと、島村は思ってみようとしたし、駒子はわざと文句を棒読みしたり、ここはゆっくり、面倒臭いと言って飛ばしたりしたが、だんだん憑かれたように声も高まって来ると、撥の音がどこまで強く冴えるのかと、島村はこわくなって、虚勢を張るように肘枕で転がった。

勧進帳が終ると島村はほっとして、ああ、この女はおれに惚れているのだと思ったが、それがまた情なかった。

「こんな日は音がちがう。」と、雪の晴天を見上げて、駒子が言っただけのことはあった。空気がちがうのである。劇場の壁もなければ、聴衆もなければ、都会の塵埃もなければ、音はただ純粋な冬の朝に澄み通って、遠くの雪の山々まで真直ぐに響いて行った。

いつも山峡の大きい自然を、自らは知らぬながら相手として孤独に稽古するのが、彼女の習わしであったゆえ、撥の強くなるは自然である。その孤独は哀愁を踏み破って、野性の意力を宿していた。幾分下地があるとは言え、複雑な曲を音譜で独習し、譜を離れて弾きこなせるまでには、強い意志の努力が重なっているにちがいない。

島村には虚しい徒労とも思われる、遠い憧憬とも哀れまれる、駒子の生き方が、彼女自身への価値で、凛と撥の音に溢れ出るのであろう。

細かい手の器用なさばきは耳に覚えていず、ただ音の感情が分る程度の島村は、駒子にはちょうどよい聞き手なのであろう。

三曲目に都鳥を弾きはじめた頃は、その曲の艶な柔かさのせいもあって、島村はもう鳥肌立つような思いは消え、温かく安らいで、駒子の顔を見つめた。そうするとしみじみ肉体の親しみが感じられた。

細く高い鼻は少し寂しいはずだけれども、頬が生き生きと上気しているので、私はここにいますという囁きのように見えた。あの美しく血の滑らかな唇は、小さくつぼめた時も、そこに映る光をぬめぬめ動かしているようで、そのくせ唄につれて大きく開いても、また可憐に直ぐ縮まるという風に、彼女の体の魅力そっくりであった。下り気味の眉の下に、目尻が上りもせず下りもせず、わざと真直ぐ描いたような眼は、今は濡れ輝いて、幼なげだった。白粉はなく、都会の水商売で透き通ったところへ、山の色が染めたとでもいう、百合か玉葱みたいな球根を剝いた新しさの皮膚は、首まではんのり血の色が上っていて、なによりも清潔だった。

しゃんと坐り構えているのだが、いつになく娘じみて見えた。

最後に、今稽古中のをと言って、譜を見ながら新曲浦島を弾いてから、駒子は黙って撥を糸の下に挟むと、体を崩した。

急に色気がこぼれて来た。

島村はなんとも言えなかったが、駒子も島村の批評を気にする風はさらになく、素直に楽しげだった。

「君はここの芸者の三味線を聞いただけで、誰だか皆分るかね。」

「そりゃ分りますわ、二十人足らずですもの。都々逸がよく分るわね、一番その人の癖が出るから。」

　そしてまた三味線を拾い上げると、右足を折ったままずらせて、そのふくらはぎに三味線の胴を載せ、腰は左に崩しながら、体は右に傾けて、

「小さい時こうして習ったわ。」と、棹を覗き込むと、

「く、ろ、かあ、みい、の……。」と、幼なげに歌って、ぽつんぽつん鳴らした。

「黒髪を最初に習ったの？」

「ううん。」と、駒子はその小さい時のように、かぶりを振った。

　それからは泊まることがあっても、駒子はもう強いて夜明け前に帰ろうとはしなくなった。

「駒子ちゃん。」と、尻上りに廊下の遠くから呼ぶ、宿の女の子を火燵へ抱き入れて余念なく遊んでは、正午近くにその三つの子と湯殿へ行ったりした。

　湯上りの髪に櫛を入れてやりながら、

「この子は芸者さえ見れば、駒子ちゃんって、尻上りに呼ぶの。写真でも、絵でも、日本髪だと、

駒子ちゃん、だって。私子供好きだから、よく分るんだわ。きみちゃん、駒子ちゃんの家へ遊びに行こうね。」と、立ち上ったが、また廊下の籐椅子へのどかに落ちついて、

「東京のあわて者だわ。もう辷ってるわ。」

山麓のスキイ場を真横から南に見晴せる高みに、この部屋はあった。

島村も火燵から振り向いてみると、スロオプは雪が斑らなので、五六人の黒いスキイ服がずっと裾の方の畑の中で辷っていた。その段々の畑の畦は、まだ雪に隠れぬし、余り傾斜もないから一向たわいがなかった。

「学生らしいね。日曜かしら。あんなことで面白いかね。」

「でも、あれはいい姿勢で辷ってるんですわ。」と、駒子はひとりごとのように、

「スキイ場で芸者に挨拶されると、おや、君かいって、お客さんは驚くんですって。真黒に雪焼けしてるから分らないの。夜はお化粧してるでしょう。」

「やっぱりスキイ服を着て。」

「山袴。ああ厭だ、厭だ、お座敷でね、では明日またスキイ場でってことに、もう直ぐなるのね。今年は辷るの止そうかしら。さようなら。さあ、きみちゃん行こうよ。今夜は雪だわ。雪の降る前は冷えるんですよ。」

島村は駒子の立った後の籐椅子に坐っていると、スキイ場のはずれの坂道に、きみ子の手を引いて帰る駒子が見えた。

雲が出て、陰になる山やまだ日光を受けている山が重なり合い、その陰日向がまた刻々に変って行くのは、薄寒い眺めであったが、やがてスキイ場もふうっと陰って来た。窓の下に目を落すと、枯れた菊の籬には寒天のような霜柱が立っていた。しかし、屋根の雪の解ける樋の音は絶え間なかった。

その夜は雪でなく、霰の後は雨になった。

帰る前の月の冴えた夜、空気がきびしく冷えてから島村はもう一度駒子を呼ぶと、十一時近くだのに彼女は散歩をしようと言ってきかなかった。なにか荒々しく彼を火燵から抱き上げて、無理に連れ出した。

道は凍っていた。村は寒気の底へ寝静まっていた。駒子は裾をからげて帯に挟んだ。月はまるで青い氷のなかの刃のように澄み出ていた。

「駅まで行くのよ。」

「気ちがい。往復一里もある。」

「あんたもう東京へ帰るんでしょう。駅を見に行くの。」

島村は肩から腿まで寒さに痺れた。

部屋へ戻ると急に駒子はしょんぼりして、火燵に深く両腕を入れてうなだれながら、いつになく湯にも入らなかった。

火燵蒲団はそのままに、つまり掛蒲団がそれと重なり、敷蒲団の裾が掘火燵の縁へ届くように、寝床が一つ敷いてあるのだが、駒子は横から火燵にあたって、じっとうなだれていた。

「どうしたんだ。」

「帰るの。」

「馬鹿言え。」

「いいから、あんたお休みなさい。私はこうしてたいから。」

「どうして帰るんだ。」

「帰らないわ。夜が明けるまでここにいるわ。」

「つまらん、意地悪するなよ。」

「意地悪なんかしないわ。意地悪なんかしやしないわ。」

「じゃあ。」

「ううん、難儀なの。」

「なあんだ、そんなこと。ちっともかまやしない。」と、島村は笑い出して、

「どうもしやしないよ。」

「いや。」

「それに馬鹿だね、あんな乱暴に歩いて。」

「帰るの。」

「帰らなくてもいいよ。」

「つらいわ。ねえ、あんたもう東京へ帰んなさい。つらいわ。」と、駒子は火燵の上にそっと顔を伏せた。

つらいとは、旅の人に深塡りしてゆきそうな心細さであろうか。またはこういう時に、じっとこらえるやるせなさであろうか。女の心はそんなにまで来ているのかと、島村はしばらく黙り込んだ。

「もう帰んなさい。」

「実は明日帰ろうかと思っている。」

「あら、どうして帰るの?」と、駒子は目が覚めたように顔を起した。

「いつまでいたって、君をどうしてあげることも、僕には出来ないんじゃないか。」

ぼうっと島村を見つめていたかと思うと、突然激しい口調で、

「それがいけないのよ。あんた、それがいけないのよ。」と、じれったそうに立ち上って来て、いきなり島村の首に縋りついて取り乱しながら、

「あんた、そんなこと言うのがいけないのよ。起きなさい。起きなさいってば。」と、口走りつつ自分が倒れて、物狂わしさに体のことも忘れてしまった。

それから温かく潤んだ目を開くと、

「ほんとうに明日帰りなさいね。」と、静かに言って、髪の毛を拾った。

島村は次の日の午後三時で立つことにして、服に着替えている時に、宿の番頭が駒子をそっと

廊下へ呼び出した。そうね、十一時間くらいにしておいて頂戴と駒子の返事が聞えた。十六七時間は余り長過ぎると、番頭が思ってのことかも知れない。

勘定書を見ると、朝の五時に帰ったのは五時まで、翌日の十二時に帰ったのは十二時まで、すべて時間勘定になっていた。

駒子はコオトに白い襟巻をして、駅まで見送って来た。

またたびの実の漬物やなめこの罐詰など、時間つぶしに土産物を買っても、まだ二十分も余っているので、駅前の小高い広場を歩きながら、四方雪の山の狭い土地だなあと眺めていると、駒子の髪の黒過ぎるのが、日陰の山峡の侘しさのために反ってみじめに見えた。

遠く川下の山腹に、どうしたのか一箇処、薄日の射したところがあった。

「僕が来てから、雪が大分消えたじゃないか。」

「でも二日降れば、直ぐ六尺は積るわ。それが続くと、あの電信柱の電燈が雪のなかになってしまうわ。あんたのことなんか考えて歩いてたら、電線に首をひっかけて怪我するわ。」

「そんなに積るの。」

「この先きの町の中学ではね、大雪の朝は、寄宿舎の二階の窓から、裸で雪へ飛びこむんですって。体が雪のなかへすぽっと沈んでしまって見えなくなるの。そうして水泳みたいに、雪の底を泳ぎ歩くんですって。ね、あすこにもラッセルがいるわ。」

「雪見に来たいが正月は宿がこむだろうね。汽車は雪崩に埋れやしないか。」

「あんた贅沢な人ねえ。そういう暮しばかりしてるの？」と、駒子は島村の顔を見ていたが、

「どうして髭をお伸しにならないの。」

「うん。伸そうと思ってる。」と、青々と濃い剃刀のあとをなでながら、自分の口の端には一筋みごとな皺が通っていて、柔かい頬をきりっと見せる、駒子もそのために買いかぶっているかもしれないと思ったが、

「君はなんだね、いつでも白粉を落すと、今剃刀をあてたばかりという顔だね。」

「気持の悪い鳥が鳴いてる。どこで鳴いてる。寒いわ。」と、駒子は空を見上げて、両肘で胸脇を抑えた。

「待合室のストオヴにあたろうか。」

その時、街道から停車場へ折れる広い道を、あわただしく駈けて来るのは葉子の山袴だった。

「ああっ、駒ちゃん、行男さんが、駒ちゃん。」と、葉子は息切れしながら、ちょうど恐しいものを逃れた子供が母親に縋りつくみたいに、駒子の肩を摑んで、

「早く帰って、様子が変よ、早く。」

駒子は肩の痛さをこらえるかのように目をつぶると、さっと顔色がなくなったが、思いがけなくはっきりかぶりを振った。

「お客さまを送ってるんだから、私帰れないわ。」

島村は驚いて、

「見送りなんて、そんなものいいから。」

「よくないわ。あんたもう二度と来るか来ないか、私には分りゃしない。」

「来るよ、来るよ。」

葉子はそんなことなにも聞えぬ風で、急き込みながら、

「今ね、宿へ電話をかけたの、駅だって言うから、飛んで来た。行男さんが呼んでる。」と、駒子を引っぱるのに、駒子はじっとこらえていたが、急に振り払って、

「いやよ。」

その途端、二三歩よろめいたのは駒子の方であった。そして、げえっと吐気を催したが、口からはなにも出ず、目の縁が湿って、頬が鳥肌立った。

葉子は呆然としゃっちょこ張って、駒子を見つめていた。しかし顔つきは余りに真剣なので、怒っているのか、驚いているのか、悲しんでいるのか、それが現われず、なにか仮面じみて、ひどく単純に見えた。

その顔のまま振り向くと、いきなり島村の手を摑んで、

「ねえ、すみません。この人を帰して下さい。帰して下さい。」と、ひたむきな高調子で責め縋って来た。

「ええ、帰します。」と、島村は大きな声を出した。

「早く帰れよ、馬鹿。」

「あんた、なにを言うことあって。」と、駒子は島村に言いながら彼女の手は葉子を島村から押し退けていた。

島村は駅前の自動車を指そうとすると、葉子に力いっぱい摑まれていた手先が痺れたけれども、

「あの車で、今直ぐ帰しますから、とにかくあんたは先きに行ってたらいいでしょう。ここでそんな、人が見ますよ。」

葉子はこくりとうなずくと、

「早くね、早くね。」と、言うなり後向いて走り出したのは嘘みたいにあっけなかったが、遠ざかる後姿を見送っていると、なぜまたあの娘はいつもああ真剣な様子なのだろうと、この場にあるまじい不審が島村の心を掠めた。

葉子の悲しいほど美しい声は、どこか雪の山から今にも木魂して来そうに、島村の耳に残っていた。

「どこへ行く。」と、駒子は島村が自動車の運転手を見つけに行こうとするのを引き戻して、

「いや。私帰らないわよ。」

ふっと島村は駒子に肉体的な憎悪を感じた。

「君達三人の間に、どういう事情があるかしらんが、息子さんは今死ぬかもしれんのだろう。それで会いたがって、呼びに来たんじゃないか。素直に帰ってやれ。一生後悔するよ。こう言ってるうちにも、息が絶えたらどうする。強情張らないでさらりと水に流せ。」

「ちがう。あんた誤解しているわ。」

「君が東京へ売られて行く時、ただ一人見送ってくれた人じゃないか。一番古い日記の、一番初めに書いてある、その人の最後を見送らんという法があるか。その人の命の一番終りの頁に、君を書きに行くんだ。」

「いや、人の死ぬの見るなんか。」

　それは冷たい薄情とも、余りに熱い愛情とも聞えるので、島村は迷っていると、

「日記なんかもうつけられない。焼いてしまう。」と、駒子は呟くうちになぜか頬が染まって来て、

「ねえ、あんた素直な人ね。素直な人なら、私の日記をすっかり送ってあげてもいいわ。あんた私を笑わないわね。あんた素直な人だと思うけれど。」

　島村はわけ分らぬ感動に打たれて、そうだ、自分ほど素直な人間はないのだという気がして来ると、もう駒子に強いて帰れとは言わなかった。駒子も黙ってしまった。

　宿屋の出張所から番頭が出て来て、改札を知らせた。

　陰気な冬支度の土地の人が四五人、黙って乗り降りしただけであった。

「フォウムへは入らないわ。さよなら。」と、駒子は待合室の窓のなかに立っていた。窓のガラス戸はしまっていた。それは汽車のなかから眺めると、うらぶれた寒村の果物屋の煤けたガラス箱に、不思議な果物がただ一つ置き忘れられたようであった。

汽車が動くと直ぐ待合室のガラスが光って、駒子の顔はその光のなかにぽっと燃え浮ぶかと見る間に消えてしまったが、それはあの朝雪の鏡の時と同じに真赤な頬であった。またしても島村にとっては、現実というものとの別れ際の色であった。

　国境の山を北から登って、長いトンネルを通り抜けてみると、冬の午後の薄光りはその地中の闇へ吸い取られてしまったかのように、また古ぼけた汽車は明るい殻をトンネルに脱ぎ落して来たかのように、もう峰と峰との重なりの間から暮色の立ちはじめる山峡を下って行くのだった。こちら側にはまだ雪がなかった。

　流れに沿うてやがて広野に出ると、頂上は面白く切り刻んだようで、そこからゆるやかに美しい斜線が遠い裾まで伸びている山の端に月が色づいた。野末にただ一つの眺めである、その山の全き姿を淡い夕映の空がくっきりと濃深縹色に描き出した。月は、まだ薄色で冬の夜の冷たい冴えはなかった。鳥一羽飛ばぬ空であった。山の裾野が遮るものもなく左右に広々と延びて、河岸へ届こうとするところに、水力電気らしい建物が真白に立っていた。それは冬枯の車窓に暮れ残るものであった。

　窓はスチイムの温気に曇りはじめ、外を流れる野のほの暗くなるにつれて、またしても乗客がガラスへ半ば透明に写るのだった。あの夕景色の鏡の戯れであった。東海道線などとは別の国の汽車のように使い古して色褪せた旧式の客車が三四輛しか繋がっていないのだろう。電燈も暗い。

　島村はなにか非現実的なものに乗って、時間や距離の思いも消え、虚しく体を運ばれて行くような放心状態に落ちると、単調な車輪の響きが、女の言葉に聞えはじめて来た。

それらの言葉はきれぎれに短いながら、女が精いっぱいに生きているしるしで、彼は聞くのがつらかったほどだから忘れずにいるものだったが、こうして遠ざかって行く今の島村には、旅愁を添えるに過ぎないような、もう遠い声であった。

ちょうど今頃は、行男が息を引き取ってしまっただろうか。なぜか頑固に帰らなかったが、そのために駒子は行男の死目にもあえなかっただろうか。

乗客は不気味なほど少かった。

五十過ぎの男と顔の赤い娘とが向い合って、ひっきりなしに話しこんでいるばかりだった。肉の盛り上った肩に黒い襟巻を巻いて、娘は全く燃えるようにみごとな血色だった。胸を乗り出して一心に聞き、楽しげに受け答えしていた。長い旅を行く二人のように見えた。

ところが、製糸工場の煙突のある停車場へ来ると、爺さんはあわてて荷物棚の柳行李をおろして、それを窓からプラット・フォウムへ落しながら、

「まあじゃあ、御縁でもってまたいっしょになろう。」と、娘に言い残して降りて行った。

島村はふっと涙が出そうになって、われながらびっくりした。それで一入、女に別れての帰りだと思った。

偶然乗り合わせただけの二人とは夢にも思っていなかったのである。男は行商人かなにかだろう。

蛾が卵を産みつける季節だから、洋服を衣桁や壁にかけて出しっぱなしにしておかぬようにと、東京の家を出がけに細君が言った。来てみるといかにも、宿の部屋の軒端に吊るした装飾燈には、玉蜀黍色の大きい蛾が六七匹も吸いついていた。次の間の三畳の衣桁にも、小さいくせに胴の太い蛾がとまっていた。

窓はまだ夏の虫除けの金網が張ったままであった。その網へ貼りつけたように、やはり蛾が一匹じっと静まっていた。檜皮色の小さい羽毛のような触角を突き出していた。しかし翅は透き通るような薄緑だった。女の指の長さほどある翅だった。その向うに連る国境の山々は夕日を受けて、もう秋に色づいているので、この一点の薄緑は反って死のようであった。前の翅と後の翅との重なっている部分だけは、緑が濃い。秋風が来ると、その翅は薄紙のようにひらひらと揺れた。

生きているのかしらと島村が立ち上って、金網の内側から指で弾いても、蛾は動かなかった。拳でどんと叩くと、木の葉のようにぱらりと落ちて、落ちる途中から軽やかに舞い上った。

よく見ると、その向うの杉林の前には、数知れぬ蜻蛉の群が流れていた。たんぽぽの綿毛が飛んでいるようだった。

山裾の川は杉の梢から流れ出るように見えた。

白萩らしい花が小高い山腹に咲き乱れて銀色に光っているのを、島村はまた飽きずに眺めた。

内湯から出て来ると、ロシア女の物売りが玄関に腰かけていた。こんな田舎まで来るのだろうかと、島村は見に行った。ありふれた日本の化粧品や髪飾などだった。

もう四十を出ているらしく顔は小皺で垢じみていたが、太い首から覗けるあたりが真白に脂ぎっている。

「あんたどこから来ました。」と、島村が問うと、

「どこから来ました？　私、どこからですか。」と、ロシア女は答えに迷って、店をかたづけながら考える風だった。

不潔な布を巻いたようなスカアトは、最早洋装という感じも失せ、日本慣れたもので、大きい風呂敷包を背負って帰って行った。それでも靴は履いていた。

いっしょに見送っていたおかみさんに誘われて、島村も帳場へ行くと、炉端に大柄の女が後向きに坐っていた。女は裾を取って立ち上った。黒紋附を着ていた。

スキイ場の宣伝写真に、座敷着のまま木綿の山袴を穿きスキイに乗って、駒子と並んでいたので、島村も見覚えのある芸者だった。ふっくりと押出しの大様な年増だった。

宿の主人は炉に金火箸を渡して、大きい小判型の饅頭を焼いていた。

「こんなもの、お一ついかがです。祝いものでございますから、お慰みに一口召上ってみたら。」

「今の人が引いたんですか。」

「はい。」

「いい芸者ですね。」

「年期があけて、挨拶廻りに来ましてな。よく売れた子でしたけれども。」

熱い饅頭を吹きながら島村が囓んでみると、固い皮は古びた匂いで少し酸っぱかった。

窓の外には、真赤に熟した柿の実に夕日があたって、その光は自在鍵の竹筒にまで射しこんで来るかと思われた。

「あんな長い、薄ですね。」と、島村は驚いて坂路を見た。背負って行く婆さんの身の丈の二倍もある。そして長い穂だ。

「はい。あれは萱でございますよ。」

「萱ですか。萱ですか。」

「鉄道省の温泉展覧会の時に、休憩所ですか、茶室を造りまして、その屋根はここの萱で葺きましてな。なんでも東京の方がその茶室をそっくりそのままお買いになったそうでございますよ。」

「萱ですか。」と、島村はもう一度ひとりごとのように呟いて、

「山に咲いているのは萱なんですね。萩の花かと思った。」

島村が汽車から降りて真先に目についたのは、この山の白い花だった。急傾斜の山腹の頂上近く、一面に咲き乱れて銀色に光っている。それは山に降りそそぐ秋の日光そのもののようで、あ

あと彼は感情を染められたのだった。それを白萩と思ったのだった。

しかし近くに見る萱の猛々しさは、遠い山に仰ぐ感傷の花とはまるでちがっていた。大きい束はそれを背負う女達の姿をすっかり隠して、坂路の両側の石崖にがさがさ鳴って行った。逞しい穂であった。

部屋へ戻ってみると、十燭燈のほの暗い次の間では、あの胴の太い蛾が黒塗りの衣桁に卵を産んで歩いていた。軒端の蛾も装飾燈にばたばたぶっつかった。

虫は昼間から鳴きしきっていた。

駒子は少し後れて来た。

廊下に立ったまま、真向きに島村を見つめて、

「あんた、なにしに来た。こんなところへなんしに来た。」

「君に会いに来た。」

「心にもないこと。東京の人は嘘つきだから嫌い。」

そして坐りながら、声を柔かに沈めると、

「もう送って行くのはいやよ。なんともいえない気持だわ。」

「ああ、今度は黙って帰るよ。」

「いやよ。停車場へは行かないっていうことだわ。」

「あの人はどうなった。」

「無論死にました。」

「君が送りに来てくれた間にか。」

「でも、それとは別よ。送るって、あんなにいやなものとは思わなかったわ。」

「うん。」

「あんた二月の十四日はどうしたの。嘘つき。ずいぶん待ったわよ。もうあんたの言うことなんか、あてにしないからいい。」

　二月の十四日には鳥追い祭がある。雪国らしい子供の年中行事である。十日も前から、村の子供等は藁沓で雪を踏み固め、その雪の板を二尺平方ぐらいに切り起し、それを積み重ねて、雪の堂を築く。それは三間四方に高さ一丈に余る雪の堂である。十四日の夜は家々の注連縄を貰い集めて来て、堂の前であかあかと焚火をする。この村の正月は二月の一日だから、注連縄があるのだ。そうして子供等は雪の堂の屋根に上って、押し合い揉み合い鳥追いの歌を歌う。それから子供等は雪の堂に入って燈明をともし、そこで夜明しする。そしてもう一度、十五日の明け方に雪の堂の屋根で、鳥追いの歌を歌うのである。

　ちょうどその頃は雪が一番深い時であろうから、島村は鳥追いの祭を見に来ると約束しておいたのだった。

「私二月は実家へ行ったのよ。商売を休んでたのよ。きっといらっしゃると思って、十四日に帰って来たんだわ。もっとゆっくり看病して来ればよかった。」

「誰か病気。」

「お師匠さんが港へ行ってて、肺炎になったんですの。私がちょうど実家にいたところへ電報が来て、看病したんですわ。」

「よくなったの？」

「いいえ。」

「それは悪かったね。」と、島村は約束を守らなかったのを詫びるように、また師匠の死を悔むように言うと、

「ううん。」と、駒子は急におとなしくかぶりを振って、ハンカチで机を払いながら、

「ひどい虫。」

ちゃぶ台から畳の上まで細かい羽虫が一面に落ちて来た。小さい蛾が幾つも電燈を飛び廻っていた。

網戸にも外側から幾種類とも知れぬ蛾が点々ととまって、澄み渡った月明りに浮んでいた。

「胃が痛い、胃が痛い。」と、駒子は両手を帯の間へぐっと挿し入れると、島村の膝へ突っ伏した。

襟をすかした白粉の濃いその首へも、蚊より小さい虫がたちまち群がり落ちた。見る間に死んで、そこで動かなくなるのもあった。

首のつけ根が去年より太って脂肪が乗っていた。二十一になったのだと、島村は思った。

彼の膝に生温い湿りけが通って来た。

「駒ちゃん、椿の間へ行ってごらんて、帳場でにやにや笑ってるのよ。好かないわ。ねえさんを汽車で送って来て、帰って楽々寝ようと思ってると、ここからかかって来てるって言うんでしょう。大儀だからよっぽど止そうと思ったわ。昨夜飲み過ぎた。ねえさんの送別会だったの。お帳場で笑ってばかりいて、あんただった。一年振りねえ。一年に一度来る人なの?」

「あの饅頭を僕も食ったよ。」

「そう?」と、駒子は胸を起した。島村の膝に押しつけていたところだけが赤らんで、急に幼なじみた顔に見えた。

次の次の停車場の町まで、あの年増芸者を見送って来たのだと言った。

「つまらないわ。前はなんでも直ぐ纒まったけれど、だんだん個人主義になって銘々がばらばらなの。ここもずいぶん変ったわ。気性の合わない人が殖えるばかりなの。菊勇ねえさんがいなくなると、私は寂しいんです。なんでもあの人が中心だったから。売れることも一番で六百本を欠かすことはないから、うちでも大事にされてたんだけれど。」

その菊勇は年期があけて生れた町へ帰るというが、結婚するのか、なにか水商売を続けるのかと島村が問うと、

「ねえさんも可哀想な人なの。お嫁入りは前に一度失敗して、ここへ来たのよ。」と、駒子はその後を口籠って、とかくためらってから、月明りの段々畑の下を眺めて、

雪国

新潮文庫　か-1-1

昭和二十二年七月十六日　発行
昭和四十八年九月三十日　六十九刷改版
昭和六十一年五月三十日　百二刷

著者　川端康成
発行者　佐藤亮一
発行所　株式会社新潮社
郵便番号　一六二
東京都新宿区矢来町七一
電話　業務部(〇三)二六六—五一一一
　　　編集部(〇三)二六六—五四四〇
振替東京四—八〇八番

定価はカバーに表示してあります。

乱丁・落丁本は、ご面倒ですが小社通信係宛ご送付ください。送料小社負担にてお取替えいたします。

㊎ 印刷・株式会社金羊社　製本・憲専堂製本株式会社

ISBN4-10-100101-4　C0193

新潮文庫最新刊

小島直記著
創業者・石橋正二郎
―ブリヂストン経営の原点―

地下足袋からゴム靴、そしてタイヤへ。時代の要求を深く洞察し、なみはずれた集中力と決断力で企業の飛躍を実現した男の伝記。

定価360円

金森久雄著
経済を見る眼
一流のビジネスマンたるためにはすぐれたエコノミストでなければならない。時代を見通す眼をつくるための絶好の日本経済入門書。

定価320円

木村尚三郎著
ケジメの時代
男と女、親と子、教師と生徒、上司と部下、他人と自分等々のケジメ喪失から起こる現代人病を斬り、その処方箋を示す快著。

定価320円

石井威望著
日本新世紀
―技術文明の流れを読む―

先端技術に囲まれた我々にはどんな未来があるのか？　技術文明の流れを世界史の中で捉え、新世紀へ向かう技術国家日本を診断する。

定価360円

高野悦子著
シネマ人間紀行
埋もれた名画の上映を続けてきた岩波ホールの支配人が、トリュフォー、ワイダ他、世界の映画人との交流を多彩なエピソードで綴る。

定価400円

如月小春著
都市の遊び方
コンピューターに百貨店、お墓にエスニック・レストラン……。ほとんどSF的な巨大都市東京の、もうひとつの貌が見える知的ガイド。

定価440円

lonely planet

Fast Talk

Thai

Contents

Special Features

Before You Go

Cradled between Cambodia, Laos, Malaysia, and Myanmar, the Kingdom of Thailand is something of a Tower of Babel, with numerous dialects spoken. What's known as Standard Thai is actually a dialect spoken in Bangkok and the surrounding provinces. It's the official language of administration, education and the media, and most Thais understand it even if they speak another dialect. All the words and phrases in this book are translated into Standard Thai.

PRONUNCIATION TIPS

Just about all of the sounds in Thai exist in English. While some people may find it difficult to pronounce Thai words, persistence is the key. Locals will appreciate your efforts and often help you along.

★ Most consonants in our phonetic system are pronounced the same as in English but Thai does has a few tricky consonants. Watch out for the Þ sound which is halfway between a 'b' and a 'p', and the đ sound which is halfway between a 'd' and a 't'.

★ In this book we have used hyphens to separate syllables from each another. So the word ang-grìt (English) is made up of two distinct syllables ang and grìt. In some words we have divided the syllables further with a dot · in order to help you separate vowel sounds and avoid mispronunciation. So the word kĕe·an is actually pronounced as one syllable with two separate vowel sounds.

MUST-KNOW GRAMMAR

★ The pronoun 'I' will change depending on the gender of the speaker – so a man will refer to himself as pŏm ผม (I, me) while a

woman will refer to herself as dì-chăn ดิฉัน (I, me). When being polite to others, it's customary to add the word kráp ครับ (if you're a man) or kâ ค่ะ (if you're a woman) as a kind of a 'softener' to the end of questions and statements.

★ Often you'll see the symbol m/f in this book which stands for male/female. Whenever a sentence is marked with m/f you have to make a choice between pŏm and dì-chăn or kráp and kâ depending on your gender.

PLUNGE IN!

Don't be discouraged if Thai seems difficult at first – this is only because we aren't used to pronouncing certain Thai sounds the way we do in English. Speak slowly and follow the coloured phonetic guides next to each phrase. If you absolutely can't make yourself understood, simply point to the Thai phrase and show it to the person you're speaking to. The most important thing is to laugh at your mistakes and keep trying.

Fast Talk Thai

Don't worry if you've never learnt Thai (ภาษาไทย pah-săh tai) before – it's all about confidence. You don't need to memorise endless grammatical details or long lists of vocabulary – you just need to start speaking. You have nothing to lose and everything to gain when the locals hear you making an effort. And remember that body language and a sense of humour have a role to play in every culture.

"you just need to start speaking"

Even if you use the very basics, such as greetings and civilities, your travel experience will be the better for it. Once you start, you'll be amazed how many prompts you'll get to help you build on those first words. You'll hear people speaking, pick up sounds and expressions from the locals, catch a word or two that you know from TV already, see something on a billboard – all these things help to build your understanding.

1. Have you eaten?

กินข้าวหรือยัง

gin kôw rĕu yang

In Thailand instead of asking 'What are you up to?', it's customary to ask 'Have you eaten?'.

2. Please take off your shoes.

กรุณาถอดรองเท้า

gà-rú-nah tòrt rorng tów

Shoes are always removed when entering a house and this also applies to religious buildings.

3. Can you recommend a local speciality?

แนะนำอาหารรสเด็ดๆของแถวนี้ได้ไหม

náa-nam ah-hăhn rót dèt dèt kŏrng tăa·ou née dâi măi

Thailand's seemingly endless variety of local dishes is a major draw for visitors

4. Can you lower the price?

ลดราคาได้ไหม

lót rah-kah dâi măi

Bargaining is common in street markets and some small shops.

5. How do you say ...?

... ว่าอย่างไร

... wâh yàhng rai

If in doubt about a word or phrase, just ask.

10. Phrases to Sound Like a Local

Hey!	เฮ้ย	hêr·i
Great!	ยอด	yôrt
Sure.	แน่นอน	nâa norn
Maybe.	บางที	bahng tee
No way!	ไม่มีทาง	mâi mee tahng
Just a minute.	เดี๋ยวก่อน	dĕe·o gòrn
It's OK.	ไม่เป็นไร	mâi ƀen rai
No problem.	ไม่มีปัญหา	mâi mee ƀan-hăh
Oh, no!	ตายแล้ว	đai láa·ou
Oh my god!	คุณพระช่วย	kun prá chôo·ay

10 Phrases to Start a Sentence

When's (the next bus)?	(รถเมล์คันต่อไป) มาเมื่อไร (rót mair kan đòr Ъai) mah mêu·a rai
Where's (the market)?	(ตลาด) อยู่ที่ไหน (đà-làht) yòo têe năi
How much is it (per night)?	(คืนละ) เท่าไร (keun lá) tôw-rai
Could I have (the key), please?	ขอ (กุญแจห้อง) หน่อย kŏr (gun-jaa hôrng) nòy
I'd like to buy (an adaptor plug).	อยากจะซื้อ (ปลั๊กต่อ) yàhk jà séu (Ъlák đòr)
I'd like (the menu), please.	ขอ (รายการอาหาร) หน่อย kŏr (rai gahn ah-hăhn) nòy
Can I take a photo (of you)?	ถ่ายรูป (คุณ) ได้ไหม tài rôop (kun) dâi măi
I need a (bottle opener).	ต้องการ(เครื่องเปิดขวด) đôrng gahn (krêu·ang Ъèut kòo·at)
I'm going to (Ayuthaya).	ผม/ดิฉันกำลังไป (อยุธยา) pŏm/dì-chăn gam-lang Ъai (à-yút-tá-yah)
I like dancing.	ผม/ดิฉันชอบ(เต้นรำ) pŏm/dì-chăn chôrp (đên ram) **m/f**

Chatting & Basics

Fast Phrases

Hello.	สวัสดี sà-wàt-dee
Goodbye.	ลาก่อน lah gòrn
Do you speak English?	คุณพูดภาษาอังกฤษได้ไหม kun pôot pah-săh ang-grìt dâi măi

Essentials

Yes.	ใช่ châi
No.	ไม่ mâi
Please.	ขอ kŏr
Thank you (very much).	ขอบคุณ(มาก ๆ) kòrp kun (mâhk mâhk)
You're welcome.	ยินดี yin dee
Excuse me. (to get attention)	ขอโทษ kŏr tôht

Fast Talk

Pronunciation

Just about all of the sounds in Thai exist in English. While some people may find it difficult to pronounce Thai words, persistence is the key. Locals will appreciate your efforts and often help you along. Smile, point and try again. You'll be surprised how much sense you can convey with just a few useful words

Vowel sounds

Symbol	English equivalent	Example
a	r**u**n	bàt
aa	b**a**d	gàa
ah	f**a**ther	gah
ai	**ai**sle	jài
air	fl**air**	wair-lah
e	b**e**d	ɓen
i	b**i**t	ɓìt
ee	s**ee**	ɓee
eu	h**er** or french bl**eu**	beu
ew	n**ew** with rounded lips	néw
o	h**o**t	bòt
oh	n**o**te	đoh
or	f**or**	pôr
u	p**u**t	sùk
oo	m**oo**n	kôo
ou	o plus u, similar to the the **o** in **o**ld	láa·ou
ow	c**ow**	bow
oy	b**oy**	soy

CHATTING & BASICS

Tones

If you listen to someone speaking Thai you'll notice that some vowels are pronounced at a high or low pitch while others swoop or glide in a sing-song manner. This is because Thai uses a system of carefully pitched tones to make distinctions between words. There are five distinct tones in Thai: mid, low, falling, high and rising. The accent marks above the vowel remind you which to use. The mid tone has no accent.

Consonant Sounds

Symbol	English equivalant	Example
b	**b**ig	bòr
ɓ	ri**b-p**unch	ɓlah
ch	**ch**art	chìng
d	**d**og	dèk
đ	har**d-t**imes	đòw
f	**f**ull	făh
g	**g**et	gài
h	**h**at	hèep
j	**j**unk	jahn
k	**k**ite	kài
l	**l**ike	ling
m	**m**at	máh
n	**n**ut	nŏo
ng	si**ng**	ngoo
p	**p**ush	pahn
r	**r**at	reu·a
s	**s**it	săh-lah
t	**t**ap	tów
w	**w**atch	wat
y	**y**es	yàhk

Excuse me. (to get past)	ขออภัย kŏr à-pai
Sorry.	ขอโทษ kŏr tôht

Language Difficulties

Do you speak English?	คุณพูดภาษาอังกฤษได้ไหม kun pôot pah-săh ang-grìt dâi măi
Does anyone speak English?	มีใครพูดภาษาอังกฤษได้บ้างไหม mee krai pôot pah-săh ang-grìt dâi bâhng măi
Do you understand?	คุณเข้าใจไหม kun kôw jai măi
Yes, I do.	ครับ/ค่ะเข้าใจ kráp/kâ, kôw jai **m/f**
No, I don't.	ไม่เข้าใจ mâi kôw jai
I speak a little.	พูดได้นิดหน่อย pôot dâi nít nòy

PHRASE BUILDER

Could you please ...?	...ได้ไหม	... dâi măi
repeat that	พูดอีกที	pôot èek tee
speak more slowly	พูดช้าๆ	pôot cháa cháa
write it down	เขียนลงให้	kĕe·an long hâi

PHRASE BUILDER

How do you ...?	...อย่างไร	... yàhng rai
pronounce this	ออกเสียง	òrk sĕe·ang
write 'Saraburi'	เขียนสระบุรี	kĕe·an sà-rà-bù-ree

Greetings

Hi.	หวัสดี wàt-dee
Good day.	สวัสดี sà-wàt-dee
Good night.	ราตรีสวัสดิ์ rah-đree sà-wàt
See you later.	เดี๋ยวพบกันใหม่ dĕe·o póp gan mài
Goodbye.	ลาก่อน lah gòrn
How are you?	สบายดีไหม sà-bai dee măi
Fine. And you?	สบายดี ครับ/ค่ะ แล้วคุณล่ะ sà-bai dee kráp/kâ, láa·ou kun lâ **m/f**

Titles

Mr	นาย nai
Ms/Mrs	นาง nahng
Miss	นางสาว nahng sŏw

Fast Talk

Starting Off

When starting to speak another language, your biggest hurdle is saying aloud what may seem to be just a bunch of sounds. The best way to do this is to memorise a few key words, like 'hello', 'thank you' and 'how much?', plus at least one phrase that's not essential, eg 'how are you', 'see you later' or 'it's very cold/hot' (people love to talk about the weather!). This will enable you to make contact with the locals, and when you get a reply and a smile, it'll also boost your confidence.

Introductions

What's your name?	คุณชื่ออะไร kun chêu à-rai
My name is ...	ผม/ดิฉัน ชื่อ ... pŏm/dì-chăn chêu ... **m/f**

PHRASE BUILDER

This is my ...	นี่คือ ... ของ ผม/ดิฉัน	nêe keu ... kŏrng pŏm/dì-chăn **m/f**
child	ลูก	lôok
colleague	เพื่อนงาน	pêu·an ngahn
friend	เพื่อน	pêu·an
husband	ผัว	pŏo·a
partner (intimate)	แฟน	faan
wife	เมีย	mee·a

I'd like to introduce you to ...	นี่คือ ...	nêe keu ...
I'm pleased to meet you.	ยินดีที่ได้รู้จัก	yin-dee têe dâi róo jàk
Here's my ...	นี่คือ ... ของผม/ดิฉัน	nêe keu ... kŏrng pŏm/ dì-chăn **m/f**

PHRASE BUILDER

What's your ...?	... ของคุณคืออะไร	... kŏrng kun keu à-rai
address	ที่อยู่	têe yòo
email address	ที่อยู่อีเมล	têe yòo ee-men
phone number	เบอร์โทรศัพท์	beu toh-rá-sàp

Personal Details

Where are you from?	คุณมาจากไหน	kun mah jàhk năi

PHRASE BUILDER

I'm from ...	ผม/ดิฉัน มาจากประเทศ	pŏm/dì-chăn mah jàhk ɓrà-têt ... **m/f**
Australia	ออสเตรเลีย	or-sà-đrair-lee·a
Canada	แคนาดา	kaa-nah-dah
New Zealand	ประเทศนิวซีแลนด์	prà-têt new see-laan
the UK	อังกฤษ	ang-krìt
the USA	สหรัฐอเมริกา	sà-hà-rát à-mair-rí-gah

Local Knowledge

wâi me?

Although Western codes of behaviour are becoming more familiar in Thailand, the country still has its own proud traditions. One of these is the wâi ไหว้, the prayer-like gesture of hands held together in front of the chin, which is used in everyday interactions. The wâi is generally used in situations where Westerners would shake hands. Thus you would wâi when meeting a person for the first time, and also when meeting a person after an absence, or for the first time for that day. A wâi is always called for when meeting a person older than you or with a respected social position. Usually the younger person is expected to wâi first.

I'm married	ผม/ดิฉันแต่งงานแล้ว pŏm/dì-chăn đàang ngahn láa·ou
I'm not married	ผม/ดิฉันยังไม่แต่งงาน pŏm/dì-chăn yang mâi đàang ngahn
I'm separated	ผม/ดิฉันหย่ากันแล้ว pŏm/dì-chăn yàh gan láa·ou
I'm single	ผม/ดิฉันเป็นโสดอยู่ pŏm/dì-chăn ƀen sòht yòo

Age

How old are you?	คุณ อายุเท่าไร kun ah-yú tôw-rai
I'm ... years old.	ฉันอายุ ... ปี chăn ah-yú ... ƀee

How old is your daughter?	ลูกสาวของคุณอายุเท่าไร lôok sŏw kŏrng kun ah-yú tôw-rai
How old is your son?	ลูกชายของคุณอายุเท่าไร lôok chai kŏrng kun ah-yú tôw-rai
He/She is ... years old.	เขาอายุ ... ปี kŏw ah-yú ... bee

Occupations & Study

What's your occupation?	คุณมีอาชีพอะไร kun mee ah-chêep à-rai
I work in (administration)	ฉันทำงานทางด้าน(บริหาร) chăn tam ngahn tahng dâhn (bor-rí-hărn)
I'm retired	ฉันปลดเกษียณแล้ว chăn blòt gà-sĕe·an láa·ou
I'm unemployed	ฉันว่างงาน chăn wâhng ngahn

PHRASE BUILDER

I'm a ...	ฉันเป็น ...	chăn ben ...
civil servant	ข้าราชการ	kâh râht-chá-gahn
farmer	ชาวไร่	chow râi
journalist	นักข่าว	nák kòw
teacher	ครู	kroo

What are you studying?	คุณกำลังเรียนอะไรอยู่ kun gam-lang ree·an à-rai yòo

PHRASE BUILDER

I'm studying ...	ผม/ดิฉันกำลังเรียน ...	pŏm/dì-chăn gam-lang ree·an ... m/f
humanities	มนุษยศาสตร	má-nút-sà-yá-sàht
science	วิทยาศาสตร์	wít-tá-yah-sàht
Thai	ภาษาไทย	pah-săh tai

Interests

What do you do in your spare time?	คุณทำอะไรเวลาว่าง kun tam à-rai wair-lah wâhng
Do you like ...?	ชอบ ... ไหม chôrp ... măi

PHRASE BUILDER

I (don't) like ...	ผม/ดิฉัน (ไม่) ชอบ ...	pŏm/dì-chăn (mâi) chôrp ... m/f
cooking	ทำอาหาร	tam ah-hăhn
dancing	เต้นรำ	đên ram
music	ดนตรี	don-đree
socialising	การสังคม	gahn săng-kom
travelling	การท่องเที่ยว	gahn tôrng têe·o
watching TV	ดูโทรทัศน	doo toh-rá-tát

Feelings

Are you ...?	คุณ ... ไหม kun ... măi

PHRASE BUILDER

I'm (not) ...	ผม/ดิฉัน (ไม่)	pŏm/dì-chăn (mâi) ... **m/f**
cold	หนาว	nŏw
happy	ดีใจ	dee jai
hungry	หิว	hĕw
in a hurry	รีบร้อน	rêep rórn
sad	เศร้า	sôw
thirsty	หิวน้ำ	hĕw nám
tired	เหนื่อย	nèu·ay

Numbers

1	หนึ่ง	nèung
2	สอง	sŏrng
3	สาม	săhm
4	สี่	sèe
5	ห้า	hâh
6	หก	hòk
7	เจ็ด	jèt
8	แปด	Ƀàat
9	เก้า	gôw
10	สิบ	sìp

11	สิบเอ็ด	sìp-èt
12	สิบสอง	sìp-sŏrng
13	สิบสาม	sìp-săhm
14	สิบสี่	sìp-sèe
15	สิบห้า	sìp-hâh
16	สิบหก	sìp-hòk
17	สิบเจ็ด	sìp-jèt
18	สิบแปด	sìp-Ƀàat
19	สิบเก้า	sìp-gôw
20	ยี่สิบ	yêe-sìp
21	ยี่สิบเอ็ด	yêe-sìp-èt
30	สามสิบ	săhm-sìp
40	สี่สิบ	sèe-sìp
50	ห้าสิบ	hâh-sìp
100	หนึ่งร้อย	nèung róy
1,000	หนึ่งพัน	nèung pan
1,000,000	หนึ่งล้าน	nèung láhn

Time

What time is it?	กี่โมงแล้ว gèe mohng láa·ou
12 midnight	หกทุ่ม/เที่ยงคืน hòk tûm/têe·ang keun
12 noon	เที่ยง têe·ang

Fast Talk

Thai Time

In Thailand you may hear a person who arrives late for an appointment joke about being on 'Thai time' as punctuality is generally a more fluid concept than some Westerners are used to. But there is a specifically Thai way of telling the time which you'll need to learn if you want to avoid being late yourself.

The day is broken up into four periods. From midnight to six in the morning times begin with the word đèe ตี (strike), from six in the morning until midday they end with the word chów เช้า (morning), from midday to six in the evening they begin with the word bai บ่าย (afternoon) and from six in the evening until midnight they end with the word tûm ทุ่ม (thump).

Days

Monday	วันจันทร์ wan jan
Tuesday	วันอังคาร wan ang-kahn
Wednesday	วันพุธ wan pút
Thursday	วันพฤหัสบดี wan pá-réu-hàt
Friday	วันศุกร์ wan sùk
Saturday	วันเสาร์ wan sŏw
Sunday	วันอาทิตย์ wan ah-tít

Months

January	เดือนมกราคม deu·an má-gà-rah-kom
February	เดือนกุมภาพันธ์ deu·an gum-pah-pan
March	เดือนมีนาคม deu·an mee-nah-kom
April	เดือนเมษายน deu·an mair-săh-yon
May	เดือนพฤษภาคม deu·an préut-sà-pah-kom
June	เดือนมิถุนายน deu·an mí-tù-nah-yon
July	เดือนกรกฎาคม deu·an gà-rák-gà-dah-kom
August	เดือนสิงหาคม deu·an sĭng-hăh-kom
September	เดือนกันยายน deu·an gan-yah-yon
October	เดือนตุลาคม deu·an đù-lah-kom
November	เดือนพฤศจิกายน deu·an préut-sà-jì-gah-yon
December	เดือนธันวาคม deu·an tan-wah-kom

Dates

What date is it today?	วันนี้วันที่เท่าไร wan née wan têe tôw-rai

PHRASE BUILDER

last ...	...ที่แล้ว	... tee láa·ou
month	เดือน	deu·an
week	อาทิตย์	ah-tít
year	ปี	ɓee

It's (27 September).	วันที่(ยี่สิบเจ็ดเดือนกันยายน) wan têe (yêe-sìp-jèt deu·an gan-yah-yŏn)
last night	เมื่อคืนนี้ mêu·a keun née
next ...	...หน้า ... nâh

PHRASE BUILDER

yesterday ...	...เมื่อวาน	... mêu·a wahn
afternoon	บ่าย	bài
evening	เย็น	yen
morning	เช้า	chów

Weather

What's the weather like?	อากาศเป็นอย่างไร ah-gàht ɓen yàhng rai?
What will the weather be like tomorrow?	พรุ่งนี้อากาศจะเป็นอย่างไร prûng-née ah-gàht jà ɓen yàhng rai?

PHRASE BUILDER

It's ...	มัน...	man ...
cold	หนาว	nŏw
flooding	กำลังน้ำท่วม	gam-lang nám tôo·am
hot	ร้อน	rórn
raining	มีฝน	mee fŏn
sunny	แดดจ้า	dàat jâh
warm	อุ่น	ùn
windy	มีลม	mee lom

Directions

Where's (the tourist office)?	(สำนักงานท่องเที่ยว) อยู่ที่ไหน (săm-nák ngahn tôrng têe·o) yòo têe năi
Which way is ...?	...อยู่ทางไหน ... yòo tahng năi

PHRASE BUILDER

It's ...	อยู่ ...	yòo ...
behind ...	ที่หลัง ...	têe lăng ...
in front of ...	ตรงหน้า ...	đrong nâh ...
near ...	ใกล้ ๆ ...	glâi glâi ...
next to ...	ข้าง ๆ ...	kâhng kâhng ...
opposite	ตรงกันข้าม ...	đrong gan kâhm ...
straight ahead	ตรงไป	đrong ɓai

How far is it?	อยู่ไกลเท่าไร yòo glai tôw-rai?
Could you please write it down?	เขียนลงให้ได้ไหม kĕe·an long hâi dâi măi?
Can you show me (on the map)?	ให้ดูในแผนที่ได้ไหม hâi doo (nai păan têe) dâi măi?
 **What's the address?**	ที่อยู่คืออะไร têe yòo keu à-rai?

PHRASE BUILDER

Turn ...	เลี้ยว...	lée·o ...
at the corner	ตรงหัวมุม	đrong hŏo·a mum
left	ซ้าย	sái
right	ขวา	kwăh

north	ทิศเหนือ tít nĕu·a
south	ทิศใต้ tít đâi
east	ทิศตะวันออก tít đà-wan òrk
west	ทิศตะวันตก tít đà-wan đòk

Airports & Transport

Fast Phrases

When's the next bus?	รถเมล์คันต่อไปมาเมื่อไร rót mair kan đòr ɓai mah mêu·a rai
Does this (train) stop at ...?	(รถไฟ) นี้จอดที่...ไหม (rót fai) née jòrt têe...măi
One ticket to ..., please.	ขอตั๋วไป...หนึ่งตั๋ว kor đoo·a ɓai...neung đoo·a

At the Airport

I'm on business.	ผม/ดิฉัน มาธุระ pŏm/dì-chăn mah tú-rá **m/f**
I'm on holiday.	ผม/ดิฉัน มาพักผ่อน pŏm/dì-chăn mah pák pòrn **m/f**

PHRASE BUILDER

I'm here for ...	ผม/ดิฉัน มาพักที่นี้ ...	pŏm/dì-chăn mah pák têe née ... **m/f**
(10) days	(สิบ) วัน	(sìp) wan
(two) months	(สอง) เดือน	(sŏrng) deu·an

AIRPORTS & TRANSPORT

LISTEN FOR

ศุลกากร	sŭn-lá-gah-gorn	**Customs**
ปลอดภาษี	ƀlòrt pah-sĕe	**Duty-Free**
กองตรวจคนเข้าเมือง	gorng đròo·at kon kôw meu·ang	**Immigration**
ด่านตรวจหนังสือเดินทาง	dàhn đròo·at năng- sĕu deun tahng	**Passport Control**

I have nothing to declare.	ไม่มีอะไรที่จะแจ้ง mâi mee à-rai têe jà jâang
I have something to declare.	มีอะไรที่จะต้องแจ้ง mee à-rai têe jà đôrng jâang
Do you have this form in (English)?	มีแบบฟอร์มเป็นภาษาอังกฤษไหม mee bàap form ƀen pahsăh ang-grìt măi

Getting Around

What time does it leave?	ออกกี่โมง òrk gèe mohng

PHRASE BUILDER

When's the ... bus?	รถเมล์ คัน ...มาเมื่อไร	rót mair kan ... mah mêu·a rai
first	แรก	râak
last	สุดท้าย	sùt tái
next	ต่อไป	đòr ƀai

How long does the trip take?	การเดินทางใช้เวลานานเท่าไร gahn dern tahng chái wair·lah nahn tôw rai
Is it a direct route?	เป็นทางตรงไหม ɓen tahng đrong măi

Buying Tickets

Where do I buy a ticket?	ต้องซื้อตั๋วที่ไหน đôrng séu đŏo·a têe năi

PHRASE BUILDER

Can I have a ... ticket (to Chiang Mai)?	ขอตั๋ว ... ไป (เชียงใหม่)	kŏr đŏo·a ... ɓai (chee·ang mài)
1st-class	ชั้นหนึ่ง	chán nèung
2nd-class	ชั้นสอง	chán sŏrng
child's	สำหรับเด็ก	săm-ràp dèk
one-way	เที่ยวเดียว	têe·o dee·o
return	ไปกลับ	ɓai glàp
student's	สำหรับนักศึกษา	săm-ràp nák sèuk-săh

Do I need to book?	ต้องจองล่วงหน้าหรือเปล่า đôrng jorng lôo·ang nâh rĕu ɓlòw
What time should I check in?	จะต้องมากี่โมง jà đôrng mah gèe mohng

PHRASE BUILDER

I'd like a/an ... seat.	ต้องการที่นั่ง ...	đôrng gahn têe nâng ...
aisle	ติดทางเดิน	đìt tahng deun
nonsmoking	ในเขตห้ามสูบบุหรี่	nai kèt hâhm sòop bù-rèe
window	ติดหน้าต่าง	đìt nâh đàhng

Luggage

I'd like a luggage locker.
ต้องการตู้เก็บสัมภาระ
đôrng gahn đôo gèp săm-pah-rá

Can I have some coins/ tokens?
ขอเหรี่ยนหน่อย
kŏr rĕe·an nòy

PHRASE BUILDER

My luggage has been ...	กระเป๋าของผม/ดิฉันโดน ... แล้ว	grà-bŏw kŏrng pŏm/dì-chăn dohn ... láa·ou **m/f**
damaged	เสียหาย	sĕe·a hăi
lost	หายไป	hăi bai
stolen	ขโมย	kà-moy

Bus & Train

I'd like to get off at (Saraburi).
ขอลงที่ (สระบุรี) ครับ/ค่ะ
kŏr long têe (sà-rà-bù-ree) kráp/kâ **m/f**

Excuse me, is this seat free?	ขอโทษ ครับ/ค่ะ ที่นั่งนี้ว่างไหม kŏr tôht kráp/kâ têe nâng née wâhng măi **m/f**
That's my seat.	นั่นที่นั่งของ ผม/ดิฉัน nân têe nâng kŏrng pŏm/dì-chăn **m/f**
Please tell me when we get to (Chiang Mai).	เมื่อถึง (เชียงใหม่) กรุณาบอกด้วย mêu·a tĕung (chee·ang mài) gà-rú-nah bòrk dôo·ay
Where's the bus stop?	ที่จอดรถเมล์อยู่ที่ไหน têe jòrt rót mair yòo têe năi
Which bus/songthaew goes to (Ayuthaya)?	รถเมล์/สองแถว คันไหนไป (อยุธยา) rót mair/sŏrng-tăa·ou kan năi ƀai (à-yút-tá-yah)

PHRASE BUILDER

Is this the ... to (Chiang Mai)?	อันนี้เป็น ... ไป (เชียงใหม่) ใช่ไหม	an née ƀen ... ƀai (chee·ang mài) châi măi
boat	เรือ	reu·a
bus	รถเมล	rót mair
train	รถไฟ	rót fai

What station is this?	ที่นี้สถานีไหน têe née sà-tăh-nee năi
What's the next station?	สถานีต่อไปคือสถานีไหน sà-tăh-nee đòr ƀai keu sà-tăh-nee năi

Fast Talk

Taxi, samlor & túk-túk

A fun way to travel short distances in Thailand is by *samlor* (săhm lór สามล้อ) which are three-wheeled bicycle-rickshaws powered by an energetic chauffeur. In city districts that are too congested or chaotic for a săhm lór get a ride with a morđeu-sai ráp jâhng มอเตอร์ไซค์รับจ้าง or motorcyle taxi. Almost emblematic of Thailand's cities is the *túk-túk* (đúk đúk ตุ๊กๆ), a name suggestive of the sound these three-wheeled taxis make as they buzz through the traffic. Bargain hard for all of these transport options, but be sure to offer a tip to any *samlor* driver who works up a worthy sweat.

Does it stop at (Kaeng Koi)?	จอดอยู่ที่ (แก่งคอย) ไหม jòrt yòo têe (gàang koy) măi
Do I need to change?	ต้องเปลี่ยนรถไหม đôrng plèe·an rót măi
How many stops to (the museum)?	จอดกี่ป้ายจึงจะถึง(พิพิธภัณฑ์) jòrt gèe bâi jeung jà tĕung (pí-pít-tá-pan)

Taxi

Where's the taxi stand?	ที่ขึ้นรถแท็กซี่อยู่ที่ไหน têe kêun rót táak-sêe yòo têe năi

PHRASE BUILDER

I'd like a taxi ...	ต้องการรถแท็กซี่ ...	đôrng gahn rót-táak sêe ...
at (9am)	เมื่อ (สามโมงเช้า)	mêu·a (săhm mohng chów)
tomorrow	พรุ่งนี้	prûng née

PHRASE BUILDER

Please ...	ขอ ...	kŏr ...
slow down	ให้ช้าลง	hâi cháh long
stop here	หยุดตรงนี้	yùt đrong née
wait here	คอยอยู่ที่นี้	koy yòo têe née

Is this ... free?	... อันนี้ฟรีหรือเปล่า ... an née free rĕu ɓlòw
How much is it to ...?	ไป ... เท่าไร pai ... tôw-rai
Please take me to (this address).	ขอพาไป (ที่นี้) kŏr pah ɓai (têe née)
Please put the meter on.	ขอเปิดมิเตอร์ด้วย kŏr ɓèut mí-đeu dôo·ay

Local Knowledge

Body Language

In Thailand it's important to be aware of your body. Close physical proximity, except in special circumstances such as a crowded Bangkok bus, can be discomforting to Thai people. Thus, you should avoid standing over people or encroaching too much on their personal space.

The head is considered the most sacred part of the body, while the feet are seen as vulgar. Never point at things with your feet nor intentionally touch another person with your feet. Neither should you sit with your feet pointing at someone or at an object of worship, such as a shrine, a picture of the king or Buddha statue. Equally, you should never touch or reach over another person's head. If it's necessary to reach over someone, such as when getting something from a luggage compartment on a bus or train, it's customary to say kŏr tôht ขอโทษ ('Excuse me') first.

Car & Motorbike

I'd like to hire a car.	อยากจะเช่ารถเก๋ง yàhk jà chôw rót gěng
I'd like to hire a motorbike.	อยากจะเช่ารถมอเตอร์ไซค์ yàhk jà chôw rót mor-đeu-sai
Is this the road to (Ban Bung Wai)?	ทางนี้ไป (บ้านบุ่งหวาย) ไหม tahng née Ъai (bâhn bùng wăi) măi
Can I park here?	จอดที่นี้ได้ไหม jòrt têe née dâi măi
Where's a petrol station?	ปั้มน้ำมันอยู่ที่ไหน Ъâm nám man yòo têe năi

PHRASE BUILDER

How much for ... hire?	ค่าเช่า ... ละเท่าไร	kâh chôw ... lá tôw-rai
hourly	ชั่วโมง	chôo·a mohng
daily	วัน	wan
weekly	อาทิตย์	ah-tít

Cycling

I'd like to hire a bicycle	ต้องการ เช่ารถจักรยาน đôrng gahn chôw rót jàk-gà-yahn

AIRPORTS & TRANSPORT

Fast Phrases

I have a reservation.	จองห้องมาแล้ว	jorng hôrng mah láa·ou
When is breakfast served?	อาหารเช้าจัดกี่โมง	ah-hăhn chów jàt gèe mohng
What time is checkout?	ต้องออกห้องกี่โมง	đôrng òrk hôrng gèe mohng

Finding Accommodation

PHRASE BUILDER

Where's a ...?	... อยู่ที่ไหน	... yòo têe năi
camping ground	ค่ายพักแรม	kâi pák raam
beach hut	กระท่อมชายหาด	grà-tôrm chai hàht
guesthouse	บ้านพัก	bâhn pák
hotel	โรงแรม	rohng raam
temple lodge	วัด	wát
youth hostel	บ้านเยาวชน	bâhn yow-wá-chon

มีห้องว่าง	mee hôrng wâhng	**vacancy**
ไม่มีห้องว่าง	mâi mee hôrng wâhng	**no vacancy**

Booking & Checking In

I have a reservation.	จองห้องมาแล้ว jorng hôrng mah láa·ou

PHRASE BUILDER

Do you have a/an ... room?	มีห้อง ... ไหม	mee hôrng ... măi
double	เตียงคู่	đee·ang kôo
single	เดี่ยว	dèe·o
twin	สองเตียง	sŏrng đee·ang

For (three) nights/ weeks.	เป็นเวลา(สาม) คืน/อาทิตย์ ɓen wair-lah (săhm) keun/ah-tít
From ... to	จากวันที่...ถึงวันที่... jàhk wan têe ... tĕung wan têe ...

PHRASE BUILDER

How much is it per ...?	... ละเท่าไร	... lá tôw-rai
night	คืน	keun
person	คน	kon
week	อาทิตย์	ah-tít

Local Knowledge

Hotels

Can you recommend somewhere cheap?	แนะนำที่ราคาถูกได้ไหม náa nam têe rah-kah tòok dâi măi
Can you recommend somewhere nearby?	แนะนำที่ใกล้ ๆ ได้ไหม náa nam têe glâi glâi dâi măi
Can you recommend somewhere romantic?	แนะนำที่โรแมนติกได้ไหม náa nam têe roh-maan-đìk dâi măi

Does the price include breakfast?	ราคาห้องรวมค่าอาหารเช้าด้วยไหม rah-kâh hôrng roo·am kâh ah-hăhn chów dôo·ay măi
Do I need to pay upfront?	ต้องจ่ายเงินล่วงหน้าไหม đôrng jài ngeun lôo·ang nâh măi
Can I see it?	ดูได้ไหม doo dâi măi
I'll take it.	เอา ow

Requests & Questions

When is breakfast served?	อาหารเช้าจัดกี่โมง ah-hăhn chów jàt gèe mohng

PHRASE BUILDER

Can I use the ...?	ใช้ ... ได้ไหม	chái ... dâi măi
kitchen	ห้องครัว	hôrng kroo·a
laundry	ห้องซักผ้า	hôrng sák pâh
telephone	โทรศัพท์	toh-rá-sàp

Where is breakfast served?	อาหารเช้าจัดที่ไหน ah-hăhn chów jàt têe năi
Please wake me at (seven).	กรุณาปลุกให้เวลา (เจ็ด) นาฬิกา gà-rú-nah Ъlùk hâi wair-lah (jèt) nah-lí-gah
Could I have the key, please?	ขอกุญแจห้องหน่อย kŏr gun-jaa hôrng nòy
Can I get another (blanket)?	ขอ (ผ้าห่ม) อีกผืนได้ไหม kŏr (pâh hòm) èek pĕun dâi măi

PHRASE BUILDER

Do you have a/an ...?	มี ... ไหม	mee ... măi
elevator	ลิฟท์	líp
laundry service	บริการซักผ้า	bor-rí-gahn sák pâh
safe	ตู้เซฟ	đôo sép

Do you arrange tours here?	ที่นี้จัดนำเที่ยวไหม têe née jàt nam têe·o măi
Do you change money here?	ที่นี้แลกเงินได้ไหม têe née lâak ngeun dâi măi

Complaints

There's no hot water.	ไม่มีน้ำร้อน mâi mee nám rórn
The air-conditioning doesn't work.	แอร์เสีย aa sĕe·a

Fast Talk

Using Patterns

Look out for patterns of words or phrases that stay the same, even when the situation changes, eg 'Do you have ...?' or 'I'd like to ...'. If you can recognise these patterns, you're already halfway there to creating a full phrase. The dictionary will help you put other words together with these patterns to convey your meaning – even if it's not completely grammatically correct in all contexts, the dictionary form will always be understood.

The fan doesn't work.	พัดลม เสีย pát lom sĕe·a
The toilet doesn't work.	ส้วม เสีย sôo·am sĕe·a
This (pillow) isn't clean.	(หมอนใบ) นี้ไม่สะอาด (mŏrn bai) née mâi sà-àht

PHRASE BUILDER

It's too ...	... เกินไป	... geun bai
cold	หนาว	nŏw
dark	มืด	mêut
noisy	เสียงดัง	sĕe·ang dang
small	เล็ก	lék

Checking Out

What time is checkout?	ต้องออกจากห้องกี่โมง dôrng òrk jàhk hôrng gèe mohng

PHRASE BUILDER

Could I have my ..., please?	ขอ ... หน่อย	kŏr ... nòy
deposit	เงินมัดจำ	ngeun mát jam
passport	หนังสือเดินทาง	năng-sĕu deun tahng
valuables	ของมีค่า	kŏrng mee kâh

Can I leave my bags here?	ฝากกระเป๋าไว้ที่นี่ได้ไหม fàhk grà-Ъŏw wái têe née dâi măi

Eating & Drinking

Fast Phrases

I'd like the menu , please.	ขอรายการอาหารหน่อย kŏr rai gahn ah-hăhn nòy
I'd like (a beer), please.	ขอเบียร์หน่อย kŏr bee·a nòy
Please bring the bill.	ขอบิลล์หน่อย kŏr bin nòy

Meals

breakfast	อาหารเช้า ah-hăhn chów
lunch	อาหารกลางวัน ah-hăhn glahng wan
dinner	อาหารเย็น ah-hăhn yen
snack	อาหารว่าง ah-hăhn wâhng
eat (informal)	กิน gin
eat (polite)	ทาน tahn

Fast Talk

Have You Eaten Yet?

The cultural importance of food in Thailand can hardly be underestimated. In fact, a common Thai pleasantary is gin kôw rĕu yang กินข้าวหรือยัง which means 'Have you eaten yet?'. How you choose to answer is not so important – this greeting is really just a way of affirming a friendly connection.

eat (very formal)	รับประทาน ráp Ƀrà-tahn
drink	เครื่องดื่ม krêu·ang dèum

Finding a Place to Eat

Where would you go for a cheap meal?	ถ้าคุณจะไปหาอาหารราคาถูกๆคุณจะไปไหน tâh kun jà Ƀai hăh ah-hăhn rah-kah tòok tòok kun jà Ƀai năi
Where would you go for local specialities?	ถ้าคุณจะไปหาอาหารรสเด็ดๆของแถวนี้คุณจะไปไหน tâh kun jà Ƀai hăh ah-hăhn rót dèt dèt kŏrng tăa·ou née kun jà Ƀai năi

PHRASE BUILDER

Can you recommend a ...	แนะนำ...ได้ไหม	náa-nam ... dâi măi
bar	บาร์	bah
café	ร้านกาแฟ	ráhn gah-faa
restaurant	ร้านอาหาร	ráhn ah-hăhn

Fast Talk

Practising Thai

If you want to practise your language skills, try the waiters at a restaurant. Find your feet with straightforward phrases such as asking for a table and ordering a drink, then initiate a conversation by asking for menu recommendations or asking how a dish is cooked. And as you'll often know food terms even before you've 'officially' learnt a word of the language, you're already halfway to understanding the response.

Are you still serving food?	ยังบริการอาหารไหม yang bor-rí-gahn ah-hăhn măi
How long is the wait?	ต้องรอนานเท่าไร đôrng ror nahn tôw-rai
I'd like to reserve a table for (two) people	ผม/ดิฉันอยากจะจองโต๊ะสำหรับ(สอง)คน pŏm/dì-chăn yàhk jà jorng đó săm-ràp (sŏrng) kon **m/f**
I'd like to reserve a table for (eight pm)	ผม/ดิฉันอยากจะจองโต๊ะสำหรับเวลา(สองทุ่ม) pŏm/dì-chăn yàhk jà jorng đó săm-ràp wair-lah (sŏrng tûm) **m/f**

PHRASE BUILDER

I'd like ..., please.	ขอ...หน่อย	kŏr ... nòy
a table for (five)	โต๊ะสำหรับ(ห้า)คน	đó săm-ràp (hâh) kon
nonsmoking	ที่เขตห้ามสูบบุหรี่	têe kèt hâhm sòop bù-rèe

Ordering & Paying

What would you recommend?	คุณแนะนำอะไรบ้าง kun náa-nam à-rai bâhng
What's the local speciality?	อาหารรสเด็ดๆ ของแถวนี้คืออะไร ah-hăhn rót dèt dèt kŏrng tăa·ou née keu à-rai
I'd like it with ...	ต้องการแบบมี ... đôrng gahn bàap mee ...
I'd like it without ...	ต้องการแบบไม่มี ... đôrng gahn bàap mâi mee ...
This is (too) cold	อันนี้เย็น (เกินไป) an née yen (geun Ƀai)
That was delicious!	อร่อยมาก à-ròy mâhk
Please bring the bill.	ขอบิลล์หน่อย kŏr bin nòy
Please bring a (wine) glass.	ขอแก้ว(ไวน์) หน่อย kŏr gâa·ou (wai) nòy

PHRASE BUILDER

Could you prepare a meal without ...?	ทำอาหารไม่ใส่ ... ได้ไหม	tam ah-hăhn mâi sài ... dâi măi
butter	เนย	neu·i
eggs	ไข่	kài
fish	ปลา	Ƀlah
meat stock	ซุปก้อนเนื้อ	súp gôrn néu·a
pork	เนื้อหมู	néu·a mŏo
poultry	เนื้อไก่	néu·a gài

PHRASE BUILDER

I'd like it ...	ต้องการ ...	đôrng gahn ...
medium	ปานกลาง	Ɓahn glahng
rare	ไม่สุกมาก	mâi sùk mâhk
steamed	นึ่ง	nêung
well-done	สุกมากหน่อย	sùk mâhk nòy

I'd like the drink list, please.	ขอรายการเครื่องดื่มหน่อย kŏr rai gahn krêu·ang dèum nòy
I'd like the menu, please.	ขอรายการอาหารหน่อย kŏr rai gahn ah-hăhn nòy

Special Diets & Allergies

I'm (a) vegan.	ผม/ดิฉัน ไม่ทานอาหารที่มาจากสัตว์ pŏm/dì-chăn mâi tahn ah-hăhn têe mah jàhk sàt **m/f**
I'm (a) vegetarian.	ผม/ดิฉัน ทานอาหารเจ pŏm/dì-chăn tahn ah-hăhn jair **m/f**

PHRASE BUILDER

I'm allergic to ...	ผม/ดิฉันแพ้ ...	pŏm/dì-chăn páa ...
dairy produce	อาหารจำพวกนม	ah-hăhn jam-pôo·ak nom
gluten	แป้ง	Ɓâang
MSG	ชูรส	choo-rót
nuts	ถั่ว	tòo·a
seafood	อาหารทะเล	ah-hăhn tá-lair
shellfish	หอย	hŏy

Non-alcoholic Drinks

(cup of) coffee	กาแฟ(ถ้วยหนึ่ง) gah-faa (tôo·ay nèung)
(cup of) tea	ชา(ถ้วยหนึ่ง) chah (tôo·ay nèung)
... with milk	...ใส่นม ... sài nom
... without	...ไม่ใส่ ... mâi sài
sugar	น้ำตาล nám-đahn
orange juice	น้ำส้มคั้น nám sôm kán
soft drink	น้ำอัดลม nám àt lom
mineral water	น้ำแร่ nám râa

PHRASE BUILDER

a ... of beer	เบียร์...หนึ่ง	bee·a ... nèung
glass	แก้ว	gâa·ou
jug	เหยือก	yèu·ak
pint	ไพนต์	pai

Alcoholic Drinks

beer	เบียร์ bee·a

brandy	บรั่นดี bà-ràn-dee
cocktail	ค็อกเทล kórk-ten
a shot of whisky	วิสกี้ช็อตหนึ่ง wít-sà-gêe chórt nèung
 **Cheers!**	ไชโย chai-yoh

PHRASE BUILDER

a glass/bottle of ... wine	ไวน์...แก้วหนึ่ง/ขวดหนึ่ง	wai ... gâa·ou nèung/kòo·at nèung
red	แดง	daang
white	ขาว	kŏw

In the Bar

I'll buy you a drink.	ฉันจะซื้อของดื่มให้คุณ chăn jà séu kŏrng dèum hâi kun
What would you like?	จะรับอะไร jà ráp à-rai
I'll have ...	จะเอา ... jà ow ...
Same again, please.	ขออีกครั้งหนึ่ง kŏr èek kráng nèung
It's my round.	ตาของฉันนะ đah kŏrng chăn ná

Local Knowledge

Garçon

When calling for the attention of a waiter or waitress, make sure you use the correct form of address. A waiter is called bŏy บ๋อย which is easy enough to remember – just think of the English word 'boy' and raise the tone as if you are asking a question.

Buying Food

How much is (a kilo of mangoes)?	(มะม่วงกิโลหนึ่ง) เท่าไร (má-môo·ang gì-loh nèung) tôw-rai
What's that?	นั่นคืออะไร nân keu à-rai
How much?	เท่าไร tôw-rai
Can I taste it?	ชิ้มได้ไหม chím dâi măi
A bit more.	มากขึ้นหน่อย mâhk kêun nòy
Enough!	พอแล้ว por láa·ou

PHRASE BUILDER

I'd like ...	ต้องการ ...	đôrng gahn ...
(200) grams	(สองร้อย) กรัม	(sŏrng róy) gram
(three) pieces	(สาม) ชิ้น	(săhm) chín
that one	อันนั้น	an nán

Menu Decoder

b

bai đeu·i ใบเตย *pandanus leaves – used primarily to add a vanilla-like flavour to Thai sweets*
bai đorng ใบตอง *banana leaves*
bai gà-prow ใบกะเพรา *'holy basil' – so-called due to its sacred status in India*
bai maang-lák ใบแมงลัก *known variously as Thai basil, lemon basil or mint basil – popular in soups & as a condiment for* kà-nŏm jeen nám yah *&* lâhp
bai má-gròot ใบมะกรูด *kaffir lime leaves*
bà-mèe บะหมี่ *yellowish noodles made from wheat flour & sometimes egg*
bà-mèe gée·o Ƅoo บะหมี่เกี๊ยวปู *soup containing* bà-mèe, *won ton & crab meat*
bà-mèe hâang บะหมี่แห้ง bà-mèe *served in a bowl with a little garlic oil, meat, seafood or vegetables*
bà-mèe nám บะหมี่น้ำ bà-mèe *with broth, meat, seafood or vegetables*
bòo·ap บวบ *gourd*
bòo·ap lèe·am บวบเหลี่ยม *sponge gourd*
bòo·ap ngoo บวบงู *snake gourd*

Ƅ

Ƅah-tôrng-gŏh ปาท่องโก๋ *fried wheat pastry similar to an unsweetened doughnut*
Ƅèt เป็ด *duck*
Ƅèt yâhng เป็ดย่าง *roast duck*
Ƅlah ปลา *fish*
Ƅlah bèuk ปลาบึก *giant Mekong catfish*
Ƅlah chôrn ปลาช่อน *serpent-headed fish – a freshwater variety*
Ƅlah dàak ปลาแดก *see* Ƅlah-ráh
Ƅlah dàat dee·o ปลาแดดเดียว *'half-day dried fish' – fried & served with a spicy mango salad*
Ƅlah dùk ปลาดุก *catfish*
Ƅlah gà-dàk ปลากะตัก *type of anchovy used in* nám Ƅlah *(fish sauce)*
Ƅlah gà-pong ปลากะพง *seabass • ocean perch*
Ƅlah gŏw ปลาเก๋า *grouper • reef cod*
Ƅlah grà-bòrk ปลากระบอก *mullet*
Ƅlah kem ปลาเค็ม *preserved salted fish*
Ƅlah lăi ปลาไหล *freshwater eel*
Ƅlah lòt ปลาหลด *saltwater eel*
Ƅlah mèuk glôo·ay ปลาหมึกกล้วย *squid • calamari*
Ƅlah mèuk grà-dorng ปลาหมึกกระดอง *cuttlefish*
Ƅlah nin ปลานิล *tilapia (variety of fish)*
Ƅlah pŏw ปลาเผา *fish wrapped in banana leaves or foil & roasted over (or covered in) hot coals*
Ƅlah sah-deen ปลาซาร์ดีน *sardine*
Ƅlah săm-lee ปลาสำลี *cottonfish*
Ƅlah săm-lee pŏw ปลาสำลีเผา *'fire-*

roasted cottonfish' – cottonfish roasted over coals
ɓlah too ปลาทู *mackerel*
ɓlah tôrt ปลาทอด *fried fish*
ɓlah-ráh ปลาร้า *'rotten fish' – unpasteurised version of* nám ɓlah *sold in earthenware jars (North-East Thailand)*
ɓó đàak โป๊ะแตก *'broken fish trap soup' –* đôm yam *with the addition of either sweet or holy basil & a melange of seafood, usually including squid, crab, fish, mussels & shrimp*
ɓoo ปู *crab*
ɓoo nah ปูนา *field crabs*
ɓor-ɓée·a ปอเปี๊ยะ *egg rolls*
ɓor-ɓée·a sòt ปอเปี๊ยะสด *fresh spring rolls*
ɓor-ɓée·a tôrt ปอเปี๊ยะทอด *fried spring rolls*

đ

đaang moh แตงโม *watermelon*
đà-krái ตะไคร้ *lemongrass – used in curry pastes,* tôm yam, yam *& certain kinds of* lâhp
đôm kàh gài ต้มข่าไก่ *'boiled galangal chicken' – includes lime, chilli & coconut milk (Central Thailand)*
đôm yam gûng ต้มยำกุ้ง *shrimp* yam
đôm yam ɓó đàak ต้มยำโป๊ะแตก đôm yam *with mixed seafood*
đôn hŏrm ต้นหอม *'fragrant plant' – spring onion or scallions*
đôw hôo เต้าหู้ *tofu (soybean curd)*

f

fák ฟัก *gourd • squash*
fák kĕe·o ฟักเขียว *wax gourd*
fák torng ฟักทอง *golden squash or Thai pumpkin*
fà-ràng ฝรั่ง *guava (the word also refers to a Westerner of European descent)*

g

gaang แกง *classic chilli-based curries for which Thai cuisine is famous, as well as any dish with a lot of liquid (thus it can refer to soups)*
gaang ɓàh แกงป่า *'forest curry' – spicy curry which uses no coconut milk*
gaang đai ɓlah แกงไตปลา *curry made with fish stomach, green beans, pickled bamboo shoots & potatoes (South Thailand)*
gaang gah-yŏo แกงกาหยู *curry made with fresh cashews – popular in Phuket & Ranong*
gaang gà-rèe gài แกงกะหรี่ไก่ *curry similar to an Indian curry, containing potatoes & chicken*
gaang hó แกงโฮะ *spicy soup featuring pickled bamboo shoots (North Thailand)*
gaang jèut wún sên แกงจืดวุ้นเส้น *mung bean noodle soup,* gaang jèut *with* wún-sên
gaang kà-nŭn แกงขนุน *jackfruit curry – favoured in Northern Thailand but found elsewhere as well*
gaang kĕe·o wăhn แกงเขียวหวาน *green curry*
gaang kôo·a sôm sàp-ɓà-rót แกงคั่วส้มสัปปะรด *pan-roasted pineapple curry with sea crab*
gaang lee·ang แกงเลียง *spicy soup of green or black peppercorns, sponge gourd, baby corn, cauliflower & various greens, substantiated with pieces of chicken, shrimp or ground pork – probably one of the oldest recipes in Thailand*
gaang lĕu·ang แกงเหลือง *'yellow curry' – spicy dish of fish cooked with green squash, pineapple, green beans & green papaya (South Thailand)*
gaang morn แกงมอญ *Mon curry*
gaang pèt แกงเผ็ด *red curry*
gaang râht kôw แกงราดข้าว *curry over rice*

gaang sôm แกงส้ม *soupy, salty, sweet & sour curry made with dried chillies, shallots, garlic & Chinese key* (grà-chai) *pestled with salt,* gà-bì *& fish sauce*
gah-lăh กาหลา *'torch ginger' – thinly-sliced flower buds from a wild ginger plant, sometimes used in the Southern Thai rice salad* kôw yam
gài ไก่ *chicken*
gài tôrt ไก่ทอด *fried chicken*
gà-bì กะปิ *shrimp paste*
gàp glâam กับแกล้ม *'drinking food' – dishes specifically meant to be eaten while drinking alcoholic beverages*
gà-rèe กะหรี่ *Thai equivalent of the Anglo-Indian term 'curry'*
gà-tí กะทิ *coconut milk*
gée·o เกี๊ยว *won ton – triangle of dough wrapped around ground pork or fish*
glâh กล้า *rice sprouts*
glôo·ay กล้วย *banana*
goh-bée โกปี๊ *Hokkien dialect for coffee, used especially in Trang province*
goh-bée dam โกปี๊ดำ *sweetened black coffee (Trang province)*
goh-bée dam mâi sài nám-đahn โกปี๊ดำไม่ใส่น้ำตาล *unsweetened black coffee (Trang province)*
gŏo·ay đěe·o ก๋วยเตี๋ยว *rice noodles made from pure rice flour mixed with water to form a paste which is then steamed to form wide, flat sheets*
gŏo·ay đěe·o hâang ก๋วยเตี๋ยวแห้ง *dry rice noodles*
gŏo·ay đěe·o hâang sù-kŏh-tai ก๋วยเตี๋ยวแห้งสุโขทัย *'Sukothai dry rice noodles' – thin rice noodles served in a bowl with peanuts, barbecued pork, ground dried chilli, green beans & bean sprouts*
gŏo·ay đěe·o jan-tá-bù-ree ก๋วยเตี๋ยวจันทบูรี *dried rice noodles (Chantaburi)*
gŏo·ay đěe·o lôok chín blah ก๋วยเตี๋ยวลูกชิ้นปลา *rice noodles with fish balls*
gŏo·ay đěe·o reu·a ก๋วยเตี๋ยวเรือ *'boat noodles' – concoction of dark beef broth & rice noodles originally sold only on boats that frequented the canals of Rangsit*
gŏo·ay jáp ก๋วยจั๊บ *thick broth of sliced Chinese mushrooms & bits of chicken or pork*
gôy ก้อย *raw spicy minced-meat salad*
gûng gù-lah dam กุ้งกุลาดำ *tiger prawn*
gûng mang-gorn กุ้งมังกร *'dragon prawn' – refers to lobster*
gûng súp bâang tôrt กุ้งชุบแป้งทอด *batter-fried shrimp*

h

hăhng gà-tí หางกะทิ *coconut milk*
hèt hŏrm เห็ดหอม *shiitake mushrooms*
hŏm daang หอมแดง *shallots • scallions*
hŏo·a chai tów หัวไชเท้า *Chinese radish*
hŏo·a gà-tí หัวกะทิ *coconut cream*
hŏo·a pàk gàht หัวผักกาด *giant white radish*
hòr mòk tá-lair ห่อหมกทะเล hòr hŏy หอย *clams & oysters (generic)*
hŏy kraang หอยแครง *cockle*
hŏy má-laang pôo หอยแมลงภู่ *green mussel*
hŏy nahng rom หอยนางรม *oyster*
hŏy pát หอยพัด *scallop*

j

jàa·ou hórn แจ่วฮ้อน *North-Eastern version of Central Thailand's popular Thai sukiyaki* (sù-gêe-yah-gêe) *but includes mung bean noodles, thin-sliced beef, beef entrails, egg, water spinach, cabbage & cherry tomatoes*
jóhk โจ๊ก *thick rice soup or congee*
jóhk gài โจ๊กไก่ *thick rice soup with chicken*

jóhk mŏo โจ๊กหมู *thick rice soup with pork meatballs*

k

kàh ข่า *galangal (also known as Thai ginger)*
kài ไข่ *egg*
kài bĭng ไข่ปิ้ง *eggs in their shells skewered on a sharp piece of bamboo & grilled over hot coals*
kài păm ไข่ผำ *small green plant that grows on the surface of ponds, bogs & other still waters (North-East Thailand)*
kài pàt hèt hŏo nŏo ไข่ผัดเห็ดหูหนู *eggs stir-fried with mouse-ear mushrooms*
kà-mîn ขมิ้น *turmeric*
kà-nŏm ขนม *Thai sweets*
kà-nŏm jeen ขนมจีน *'Chinese Pastry' – rice noodles produced by pushing rice-flour paste through a sieve into boiling water – served on a plate & mixed with various curries*
kà-nŏm jeen chow nám ขนมจีนซาวน้ำ *noodle dish featuring a mixture of pineapple, coconut, dried shrimp, ginger & garlic served with* kà-nŏm jeen
kà-nŏm jeen tôrt man ขนมจีนทอดมัน *thin rice noodles with fried fish cake from Phetchaburi*
kà-nŏm jèep ขนมจีบ *Chinese dumplings filled with shrimp or pork*
kà-nŭn ขนุน *jackfruit (also known as* màhk mêe *in Isaan dialect)*
kĭng ขิง *ginger*
kŏrng wăhn ของหวาน *sweets*
kôw ข้าว *rice*
kôw Ɓlòw ข้าวเปล่า *plain rice*
kôw bow ข้าวเบา *'light rice' – early season rice*
kôw đôm ข้าวต้ม *boiled rice soup, a popular late-night meal*
kôw gaang ข้าวแกง *curry over rice*
kôw glahng ข้าวกลาง *'middle rice' – rice that matures mid-season*
kôw glàm ข้าวก่ำ *type of sticky rice with a deep purple, almost black hue, for use in desserts and, in Northern Thailand, to produce a mild home-made rice wine of the same name*
kôw glôrng ข้าวกล้อง *brown rice*
kôw grèe·ap gûng ข้าวเกรียบกุ้ง *shrimp chips*
kôw hŏrm má-lí ข้าวหอมมะลิ *jasmine rice*
kôw jôw ข้าวเจ้า *white rice*
kôw kôo·a Ɓòn ข้าวคั่วป่น *uncooked rice dry-roasted in a pan till it begins to brown, then pulverised with a mortar & pestle – one of the most important ingredients in* lâhp
kôw lăhm ข้าวหลาม *sticky rice & coconut steamed in a bamboo joint, a Nakhon Pathom speciality*
kôw man gài ข้าวมันไก่ *Hainanese dish of sliced steamed chicken over rice cooked in chicken broth & garlic*
kôw nĕe·o ข้าวเหนียว *sticky rice that is popular in Northern & North-Eastern Thailand*
kôw pàt ข้าวผัด *fried rice*
kôw pàt năam ข้าวผัดแหนม *fried rice with* năam
kôw pôht ข้าวโพด *corn*
kôw pôht òrn ข้าวโพดอ่อน *baby corn*
kôw râi ข้าวไร่ *plantation rice or mountain rice*
kôw sŏo·ay ข้าวสวย *cooked rice*
krêu·ang gaang เครื่องแกง *curry paste created by mashing, pounding & grinding an array of ingredients with a stone mortar & pestle to form an aromatic, thick & very pungent-tasting paste (also known as* nám prík gaang*)*
krêu·ang gaang pèt เครื่องแกงเผ็ด *red* krêu·ang gaang *made with dried red chillies*

l

lahng sàht ลางสาด *oval-shaped fruit with white fragrant flesh, grown in Utaradit Province*
lâhp bèt ลาบเป็ด *duck* lâhp*, an Ubon Ratchathani speciality*
lâhp bèt daang ลาบเป็ดแดง *red duck* lâhp *which uses duck blood as part of the sauce*
lâhp bèt kŏw ลาบเป็ดขาว *white duck* lâhp
lâhp sùk ลาบสุก *cooked* lâhp
lam yai ลำใย *longan fruit (also known as 'dragon's eyes')*
lá-mút ละมุด *sapodilla fruit*
lôok chín blah ลูกชิ้นปลา *fish balls*
lôok grà-wahn ลูกกระวาน *cardamom*

m

má-gròot มะกรูด *kaffir lime – small citrus fruit with a bumpy & wrinkled skin*
má-kăhm มะขาม *tamarind*
má-kĕu·a มะเขือ *eggplant • aubergine*
má-kĕu·a brò มะเขือเปราะ *'Thai eggplant' – popular curry ingredient*
má-kĕu·a poo·ang มะเขือพวง *'pea eggplant' – popular curry ingredient, especially for* gaang kĕe·o-wăhn
má-kĕu·a têt มะเขือเทศ *tomatoes*
má-lá-gor มะละกอ *paw paw • papaya*
má-môo·ang มะม่วง *mango*
man fà-ràng มันฝรั่ง *potato*
man fà-ràng tôrt มันฝรั่งทอด *fried potatoes*
man gâa·ou มันแกว *yam root • jicama*
má-now มะนาว *lime*
má-prów มะพร้าว *coconut*
má-prow òrn มะพร้าวอ่อน *young green coconut*
mét má-môo·ang hĭm-má-pahn tôrt เม็ดมะม่วงหิมพานต์ทอด *fried cashew nuts*
mŏo หมู *pork*
mŏo bîng หมูปิ้ง *toasted pork*
mŏo daang หมูแดง *strips of bright red barbecued pork*
mŏo săhm chán หมูสามชั้น *'three level pork' – cuts that include meat, fat & skin*
mŏo sàp หมูสับ *ground pork*
mŏo yor หมูยอ *sausage resembling a large German frankfurter*

n

năam แหนม *pickled pork*
năam môr แหนมหม้อ *'pot sausage' – sausage made of ground pork, pork rind & cooked sticky rice & fermented in a clay pot with salt, garlic & chilli (North Thailand)*
nòr mái หน่อไม้ *bamboo shoots*
nòr mái brêe·o หน่อไม้เปรี้ยว *pickled bamboo shoots*
nám blah น้ำปลา *fish sauce – thin, clear, amber sauce made from fermented anchovies & used to season Thai dishes*
nám đôw น้ำเต้า *bottle gourd*
nám jîm น้ำจิ้ม *dipping sauces*
nám jîm ah-hăhn tá-lair น้ำจิ้มอาหารทะเล *seafood dipping sauce,* prík nám blah *with the addition of minced garlic, lime juice & sugar*
nám prík đah daang น้ำพริกตาแดง *'red eye chilli dip' – very dry & hot dip*
nám prík gaang น้ำพริกแกง *see* krêu·ang gaang
nám prík gà-bì น้ำพริกกะปิ nám prík *made with shrimp paste & fresh* prík kêe
nám see-éw น้ำซีอิ๊ว *soy sauce*
nám sôm prík น้ำส้มพริก *sliced green chillies in vinegar*
nám yah น้ำยา *standard curry topping for* kà-nŏm jeen*, made of Chinese key (*grà-chai*) & ground or pounded fish*
nám-đahn bèep น้ำตาลปีบ *soft, light palm sugar paste – the most raw form of palm sugar*
néu·a เนื้อ *beef*

néu·a nám đòk เนื้อน้ำตก *'waterfall beef' – sliced barbecued beef in a savoury dressing of lime juice, ground chilli & other seasonings*
néu·a pàt nám-man hŏy เนื้อผัดน้ำมันหอย *beef stir-fried in oyster sauce*

p

prík bòn พริกป่น *dried red chilli (usually* nám prík chée fáh*), flaked or ground to a near powder*
prík chée·fáh พริกชี้ฟ้า *'sky-pointing chilli' – also known as spur chilli, Thai Chilli and Japanese chilli*
prík nám blah พริกน้ำปลา *standard condiment of sliced fresh red & green* prík kêe nŏo *(chilli) floating in fish sauce*
prík nám sôm พริกน้ำส้ม *young* prík yòo·ak *pickled in vinegar – a condiment popular with noodle dishes & Chinese food*
prík tai พริกไทย *black pepper (also known in English as Thai pepper)*
prík wăhn พริกหวาน *'sweet pepper' – green bell pepper*

r

râht nâh ราดหน้า *shortened name for any* gŏo·ay-đĕe·o râht nâh *dish, frequently used when ordering*
râht prík ราดพริก prík *smothered in garlic, chillies & onions – usually accompanies freshwater fish*
roh-đee โรตี *fried, round & flat wheat bread descended from the Indian paratha*
roh-đee kài โรตีไข่ *roti cooked with egg*

s

sah-lah-bow ซาลาเปา *steamed buns filled with stewed pork or sweet bean paste*
see-éw dam ซีอิ๊วดำ *'black soy' – heavy, dark soy sauce*
see-éw kŏw ซีอิ๊วขาว *'white soy' – light soy sauce*
sà-đé สะเต๊ะ *satay – short skewers of barbecued beef, pork or chicken that are served with a spicy peanut sauce*
sà-đé mŏo สะเต๊ะหมู *satay pork*
sà-đé néu·a สะเต๊ะเนื้อ *satay beef*
săng-kà-yăh fák torng สังขยาฟักทอง *custard-filled pumpkin*
sàp-bà-rót สับปะรด *pineapple*
sà-rá-nàa สะระแหน่ *mint*
sên lék เส้นเล็ก *thick rice noodles*
sên mèe เส้นหมี่ *thin rice noodles*
sên yài เส้นใหญ่ *medium-thick rice noodles*
sôm kĕe·o wăhn ส้มเขียวหวาน *mandarin orange*
sôm oh ส้มโอ *pomelo – popular in Northern Thailand*

t

tòo·a bòn ถั่วป่น *ground peanuts*
tòo·a lan-đow ถั่วลันเตา *snow peas*
tòo·a lĕu·ang ถั่วเหลือง *soya bean*
tòo·a ngôrk ถั่วงอก *mung bean sprouts*
tòo·a tôrt ถั่วทอด *fried peanuts*
tôrt man blah ทอดมันปลา *fried fish cake*
tôrt man gûng ทอดมันกุ้ง *fried shrimp cake*

y

yam gài ยำไก่ *hot & tangy salad with chicken & mint*
yam hèt hŏrm ยำเห็ดหอม *hot & tangy salad made with fresh shiitake mushrooms*
yêe-ràh ยี่หร่า *cumin*

Sightseeing

Fast Phrases

When's the museum open?	พิพิธพันธ์ เปิดกี่โมง pí-pít-tá-pan ɓèut gèe mohng
When's the next tour?	การนำเที่ยวครั้งต่อไปกี่โมง gahn nam têe·o kráng dòr ɓai gèe mohng
Can we take photos?	ถ่ายรูปได้ไหม tài rôop dâi măi

Planning

Do you have information on local places of interest?	มีข้อมูลเกี่ยวกับแหล่งท่องเที่ยวที่น่าสนใจแถวนี้ไหม mee kôr moon gèe·o gàp laang tôrng têe·o têe nâh sŏn jai tăa·ou née măi
I have (one day).	มีเวลา(หนึ่งวัน) mee wair-lah nèung wan
Can we hire a guide?	จ้างไกด์นำเที่ยวได้ไหม jâhng gai nam têe·o dâi măi
I'd like to see ...	ผม/ดิฉัน อยากจะดู ... pŏm/dì-chăn yàhk jà doo ... **m/f**

PHRASE BUILDER

I'd like ...	ผม/ดิฉัน ต้องการ ...	pŏm/dì-chăn đôrng gahn m/f
an audio set	ชุดเทปนำเที่ยว	chút tép nam têe·o
a catalogue	คู่มือแนะนำ	kôo meu náa nam
a guidebook in English	คู่มือนำเที่ยว เป็นภาษาอังกฤษ	kôo meu nam têe·o Ъen pah-săh ang-grìt
a (local) map	แผนที่ (ท้องถิ่น)	păan têe (tórng tìn)

Questions

What's that?
นั่นคืออะไร
nân keu à-rai

Who made it?
ใครสร้าง
krai sâhng

How old is it?
เก่าเท่าไร
gòw tôw-rai

Could you take a photo of me?
ถ่ายรูปให้ผม/ดิฉันหน่อยได้ไหม
tài rôop hâi pŏm/dì-chăn nòy dâi măi m/f

Can I take a photo (of you)?
ถ่ายรูป (คุณ) ได้ไหม
tài rôop (kun) dâi măi

I'll send you the photo.
จะส่งภาพมาให้
jà sòng pâhp ma hâi

Getting In

What time does it open/close?
เปิด/ปิด กี่โมง
Ъèut/Ъìt gèe mohng

Fast Talk

Forming Sentences

You don't need to memorise complete sentences; instead, simply use key words to get your meaning across. For example, you might know that mêu·a rai เมื่อไร means 'when' in Thai. So if you've arranged a tour but don't know what time, just ask เมื่อไรทัวร์ [mêu·a rai too·a]. Don't worry that you're not getting the whole sentence right – people will understand if you stick to the key words.

What's the admission charge?	ค่าเข้าเท่าไร	kâh kôw tôw-rai

PHRASE BUILDER

Is there a discount for ...?	ลดราคาสำหรับ ... ไหม	lót rah-kah săm-ràp ... măi
children	เด็ก	dèk
families	ครอบครัว	krôrp kroo·a
groups	คณะ	ká-ná
older people	คนสูงอายุ	kon sŏong ah-yú
pensioners	คนกินเงินบำนาญ	kon gin ngeun bam-nahn
students	นักศึกษา	nák sèuk-săh

Galleries & Museums

When's the gallery open?	หอแสดงเปิดกี่โมง	hŏr sà-daang bèut gèe mohng

When's the museum open?	พิพิธพันธ์ เปิดกี่โมง pí-pít-tá-pan bèut gèe mohng
What's in the collection?	มีอะไรบ้างในชุดนี้ mee à-rai bâhng nai chút née
It's a/an exhibition of ...	เป็นนิทรรศการแสดง... ben ní-tát-sà-gahn sà-daang...
I like the works of ...	ผม/ดิฉันชอบงานของ ... pŏm/dì-chăn chôrp ngahn kŏrng ... **m/f**
... art	ศิลปะ ... sĭn-lá-bà ...
graphic	การเขียน gahn kĕe·an
modern	สมัยใหม่ sà-măi mài
performance	การแสดง gahn sà-daang

Tours

When's the next ...?	... ต่อไปออกกี่โมง ... đòr bai òrk gèe mohng

PHRASE BUILDER

Can you recommend a ...?	แนะนำ ... ได้ไหม	náa-nam ... dâi măi
boat-trip	เที่ยวเรือ	têe·o reu·a
day trip	เที่ยวรายวัน	têe·o rai wan
tour	ทัวร์	too·a

Do I need to take ... with me?	ต้องเอา...ไปด้วยไหม đôrng ow ... Ɓai dôo·ay măi
How long is the tour?	การเที่ยวใช้เวลานานเท่าไร gahn têe·o chái wair-lah nahn tôw-rai
What time should we be back?	ควรจะกลับมากี่โมง koo·an jà glàp mah gèe mohng
I've lost my group.	ผม/ดิฉัน หลงคณะอยู่ pŏm/dì-chăn lŏng ká-ná yòo m/f

PHRASE BUILDER

Is ... included?	รวม ... ด้วยไหม	roo·am ... dôo·ay măi
the admission charge	ค่าเข้า	kâh kôw
equipment	อุปกรณ์	ùp-Ɓà-gorn
food	ค่าอาหาร	kâh ah-hăhn
transport	ค่าการขนส่ง	kâh gahn kŏn sòng

Shopping

Fast Phrases

Can I look at?	ขอดูได้ไหม kŏr doo dâi măi
How much is it?	ราคาเท่าไร rah-kah tôw rai
That's too expensive.	แพงไป paang ɓai

Looking For ...

Where can I buy locally produced goods?	จะซื้อผลิตภัณฑ์ท้องถิ่นได้ที่ไหน jà séu pà-lìt-tá-pan tórng tìn dâi têe năi

PHRASE BUILDER

Where's ...?	... อยู่ที่ไหน	... yòo têe năi
a department store	ห้างสรรพสินค้า	hâhng sàp-pá-sĭn-káh
a floating market	ตลาดน้ำ	đà-làht nám
a market	ตลาด	đà-làht
a supermarket	ซูเปอร์มาร์เก็ต	soo-ɓeu-mah-gèt

Local Knowledge

Shops

Where would you go for bargains?	จะซื้อของราคาดีๆได้ที่ไหน jà séu kŏrng rah-kah dee dee dâi têe năi
Where would you go for souvenirs?	จะซื้อของที่ระลึกได้ที่ไหน jà séu kŏrng têe rà-léuk dâi têe năi

Where can I buy locally produced souvenirs?	จะซื้อที่ระลึกที่ทำในท้องถิ่นได้ที่ไหน jà séu têe rá-léuk têe tam nai tórng tìn dâi têe năi

In the Shop

I'd like to buy (an adaptor plug).	อยากจะซื้อ (ปลั๊กต่อ) yàhk jà séu (ɓlák đòr)
I'm just looking.	ดูเฉย ๆ doo chĕu·i chĕu·i
Can I look at it?	ขอดูได้ไหม kŏr doo dâi măi
Do you have any others?	มีอีกไหม mee èek măi

PHRASE BUILDER

I'd like ..., please.	อยากจะ ... ครับ/ค่ะ	yàhk jà ... kráp/kâ **m/f**
a refund	ได้เงินคืน	dâi ngeun keun
to return this	เอามาคืน	ow mah keun

It's faulty.	มันบกพร่อง man bòk prôrng
Could I have it wrapped?	ห่อให้ได้ไหม hòr hâi dâi măi
Could I have a bag, please?	ขอถุงด้วย kŏr tŭng dôo·ay

Paying & Bargaining

How much is it?	เท่าไรครับ/คะ tôw-rai kráp/ká **m/f**
It costs XXX.	ราคา...บาท rah-kah...bàht

PHRASE BUILDER

Do you accept ...?	รับ ... ไหม	ráp ... măi
credit cards	บัตรเครดิต	bàt krair-dìt
debit cards	บัตรธนาคาร	bàt tá-nah-kahn

Can you write down the price?	เขียนราคาให้หน่อยได้ไหม kĕe·an rah-kah hâi nòy dâi măi
That's too expensive.	แพงไป paang ɓai
Do you have something cheaper?	มีถูกกว่านี้ไหม mee tòok gwàh née măi
Can you lower the price?	ลดราคาได้ไหม lót rah-kah dâi măi
I'll give you (500 baht).	จะให้ (ห้าร้อยบาท) jà hâi (hâh róy bàht)

I'd like my change, please.	อยากจะได้เงินทอน ครับ/ค่ะ yàhk jà dâi ngeun torn kráp/kâ **m/f**
Could I have a receipt, please?	ขอใบเสร็จด้วย kŏr bai sèt dôo·ay

Clothes & Shoes

I'm looking for shoes/ underwear.	กำลังหารองเท้า/เสื้อชั้นใน gam-lang hăh rorng tów/sêu·a chán nai
Can I try it on?	ลองได้ไหม lorng dâi măi
It doesn't fit.	ไม่ถูกขนาด mâi tòok kà-nàht

PHRASE BUILDER

My size is ...	ฉันใช้ขนาด ...	chăn chái kà-nàht ...
small	เล็ก	lék
medium	กลาง	glahng
large	ใหญ่	yài

Books & Reading

Do you have a book by (Sulak Sivarak)?	มีหนังสือโดย (อาจารย์ สุลักษณ์ ศิวรักษ์) ไหม mee năng-sĕu doy (ah-jahn sù-lák sì-wá-rák) măi

Is there an English-language bookshop?	มีร้านขายหนังสือภาษาอังกฤษไหม mee ráhn kăi năng-sĕu pah-săh ang-grìt măi
Is there an English-language section?	มีแผนกภาษาอังกฤษไหม mee pà-nàak pah-săh ang-grìt măi
I'd like a newspaper (in English).	ต้องการหนังสือพิมพ์ (ภาษาอังกฤษ) đôrng gahn năng-sĕu pim (pah-săh ang-grìt)

Music & DVDs

I'm looking for something by (Carabao).	กำลังหาชุดเพลง (วงคาราบาว) gam-lang hăh chút pleng (wong kah-rah-bow)
What's their best recording?	เพลงชุดไหนเป็นชุดที่ดีที่สุดของเขา pleng chút năi ben chút têe dee têe sùt kŏrng kŏw
Can I listen to this?	ฟังได้ไหม fang dâi măi
What region is this DVD for?	แผ่นดีวีดีนี้สำหรับเขตไหน pàan dee wee dee née săm-ràp kèt năi

PHRASE BUILDER

I'd like a ...	ต้องการ ...	đôrng gahn ...
CD	แผ่นซีดี	pàan see-dee
DVD	แผ่นดีวีดี	pàan dee-wee-dee

SHOPPING

Entertainment

Fast Phrases

What's on tonight?	มีอะไรทำคืนนี้ mee à-rai tam keun née
Where can I find clubs?	จะหา ไนท์คลับ ได้ที่ไหน jà hăh nai kláp dâi têe năi
Where/when shall we meet?	จะพบกันที่ไหน/เมื่อไร jà póp gan têe năi/mêu·a rai

Going Out

Where shall we go? — จะไปไหนกันดี
ja bai năi gan dee

PHRASE BUILDER

Where can I find ...?	จะหา ... ได้ที่ไหน	jà hăh ... dâi têe năi
clubs	ไนท์คลับ	nai kláp
gay venues	สถานบันเทิงสำหรับคนเกย์	sà-tăhn ban-teung săm-ràp kon gair
places to eat	ที่ทานอาหาร	têe tahn ah-hăhn
pubs	ผับ	pàp

What's on locally?	มีอะไรทำแถวๆ นี้ mee à-rai tam tăa·ou tăa·ou née
Is there a local entertainment guide?	มีคู่มือสถานบันเทิงสำหรับแถวนี้ไหม mee kôo meu sà-tăhn ban-teung săm-ràp tăa·ou née măi
What's there to do in the evenings?	มีอะไรบ้างให้ทำตอนเย็น mee à-rai bâhng hâi tam đorn yen
Do you know a good restaurant?	รู้จักร้านอาหารดีๆไหม róo jàk ráhn ah-hăhn dee dee măi

PHRASE BUILDER

I feel like going to a ...	ผม/ดิฉัน รู้สึกอยากจะไป ...	pŏm/dì-chăn róo-sèuk yàhk jà ɓai ... **m/f**
bar	บาร์	bah
café	ร้านกาแฟ	ráhn gah-faa
concert	ดูการแสดง	doo gahn sà-daang
film	ดูหนัง	doo năng
full moon party	งานปาร์ตี้พระจันทร์เต็มดวง	ngahn ɓah-đêe prá jan đem doo·ang
karaoke bar	คาราโอเกะ	kah-rah-oh-gé
nightclub	ไนท์คลับ	nai kláp
party	งานปาร์ตี้	ngahn ɓah-đêe
performance	ดูงานแสดง	doo ngahn sà-daang
pub	ผับ	pàp
restaurant	ร้านอาหาร	ráhn ah-hăhn

Local Knowledge

Put a Smile on Your Dial

Thailand has been called the Land of Smiles, and not without reason. It's cool to smile, and Thai people seem to smile and laugh at the oddest times (such as if you trip over something or make a mistake). It's important to realise that they're not laughing at you, but with you: it's a way of releasing the tension of embarrassment and saying it's OK.

Thais feel negative emotions just as much as anyone else, but the culture does not encourage the outward expression of them. It's considered bad form to blow up in anger in public, and trying to intimidate someone into doing what you want with a loud voice and red face will only make you look bad.

What's on this weekend?	มีอะไรทำเสาร์อาทิตย์นี้ mee à-rai tam sŏw ah-tít née
What's on today?	มีอะไรทำวันนี้ mee à-rai tam wan née
What's on tonight?	มีอะไรทำคืนนี้ mee à-rai tam keun née

Meeting Up

What time will we meet?	จะพบกันกี่โมง jà póp gan gèe mohng
Where will we meet?	จะพบกันที่ไหน jà póp gan têe năi
Let's meet at (eight pm).	พบกัน (สองทุ่ม) ดีไหม póp gan (sŏrng tûm) dee măi
Let's meet at the (entrance).	พบกัน ที่ (ทางเข้า) ดีไหม póp gan têe (tahng kôw) dee măi

Practicalities

Fast Phrases

Where's the nearest ATM?	ตู้เอทีเอ็มที่ใกล้ที่สุดอยู่ที่ไหน đôo air-tee-em têe glâi têe sùt yòo têe năi
Is there wireless internet access here?	ที่นี่มีไวไฟไหม têe née mee wai fai măi
Where's the toilet?	ห้องส้วมอยู่ไหน hôrng sôo·am yòo năi

Banking

Where's a bank?	ธนาคารอยู่ที่ไหน tá-nah-kahn yòo têe năi
What time does the bank open?	ธนาคารเปิดกี่โมง tá-nah-kahn ƀèut gèe mohng
Where can I change money?	แลกเงินได้ที่ไหน lâak ngeun dâi têe năi

PHRASE BUILDER

Where's ...?	... อยู่ที่ไหน	... yòo têe năi
an ATM	ตู้เอทีเอ็ม	đôo air-tee-em
a foreign exchange office	ที่แลกเงินต่างประเทศ	têe lâak ngeun đàhng ƀrà-têt

Fast Talk

Understanding Thai

Most sentences are composed of several words (or parts of words) serving various grammatical functions, as well as those that carry meaning (primarily nouns and verbs). If you're finding it hard to understand what someone is saying to you, listen out for the nouns and verbs to work out the context – this shouldn't be hard as they are usually more emphasised in speech. If you're still having trouble, a useful phrase to know is pôot cháa cháa dâi măi พูดช้าๆได้ไหม (Please speak more slowly).

Where can I withdraw money?	ถอนเงิน ได้ที่ไหน tŏrn ngeun dâi têe năi
I'd like to withdraw money.	อยากจะ ถอนเงิน yàhk jà tŏrn ngeun
What's the charge for that?	ค่าธรรมเนียม เท่าไร kâh tam-nee·am tôw-rai
What's the exchange rate?	อัตราแลกเปลี่ยน เท่าไร àt-đrah lâak blèe·an tôw-rai

Phone/Mobile Phone

Where's the nearest public phone?	ตู้โทรศัพท์ที่ใกล้เคียงอยู่ที่ไหน đôo toh-rá-sàp têe glâi kee·ang yòo têe năi
I want to buy a phonecard.	อยากจะ ซื้อบัตรโทรศัพท์ yàhk jà séu bàt toh-rá-sàp
I want to call (Singapore).	อยากจะ โทรไปประเทศ (สิงคโปร์) yàhk jà toh bai brà-têt (sĭng-ká-boh)

I want to reverse the charges.	อยากจะ โทรเก็บปลายทาง yàhk jà toh gèp Ƀlai tahng
How much does a (three)-minute call cost?	โทร (สาม) นาทีคิดเงินเท่าไร toh (săhm) nah-tee kít ngeun tôw-rai
The number is ...	เบอร์ก็คือ ... beu gôr keu ...
I've been cut off.	สายหลุดแล้ว săi lùt láa·ou
I'd like a charger for my phone.	ต้องการ เครื่องชาร์จโทรศัพท์ đôrng gahn krêu·ang cháht toh-rá-sàp
I'd like a SIM card.	ต้องการ บัตรซิม đôrng gahn bàt sim
I'd like to buy (an adaptor plug).	อยากจะซื้อ (ปลั๊กต่อ) yàhk jà séu (Ƀlák đòr)

Internet

Where's the local Internet café?	ที่ไหนร้านอินเตอร์เนตที่ใกล้เคียง têe năi ráhn in-đeu-nét têe glâi kee·ang

PHRASE BUILDER

How much per ...?	คิด ... ละเท่าไร	kít ... lá tôw-rai
hour	ชั่วโมง	chôo·a mohng
(five)-minutes	(ห้า) นาที	(hâh) nah-tee
page	หน้า	nâh

Is there wireless internet access here?	ที่นี่มีไวไฟไหม têe née mee wai fai măi
Can I connect my laptop here?	ต่อแล็บทอบที่นี้ได้ไหม đor láap tóp têe née dâi măi
Do you have headphones (with a microphone)?	มีหูฟัง(ที่มีไมค์) ไหม mee hŏo fang (têe mee mai) măi
Can I connect my camera to this computer?	ต่อกล้องกับคอมพิวเตอร์นี่ได้ไหม đòr glôrng gàp korm-pew-đeu née dâi măi
It's crashed.	เครื่องแฮ้งแล้ว krêu·ang háang láa·ou
I've finished.	เสร็จแล้ว sèt láa·ou

PHRASE BUILDER

I'd like to ...	อยากจะ ...	yàhk jà ...
check my email	ตรวจอีเมล	đròo·at ee-mairn
use a printer	ใช้เครื่อ็พิมพ์	chái krêu·ang pim
use a scanner	ใช้เครื่อ็สแกน	chái krêu·ang sà-gaan

Emergencies

Help!	ช่วยด้วย chôo·ay dôo·ay
Stop!	หยุด yùt

PRACTICALITIES

Go away!	ไปให้พ้น ɓai hâi pón
Leave me alone!	อย่ายุ่งกับฉัน yàh yûng gàp chăn
Thief!	ขโมย kà-moy
Fire!	ไฟไหม้ fai mâi
Watch out!	ระวัง rá-wang
It's an emergency.	เป็นเหตุฉุกเฉิน ɓen hèt chùk-chĕun
Call a doctor!	ตามหมอหน่อย đahm mŏr nòy
Call an ambulance!	ตามรถพยาบาล đahm rót pá-yah-bahn
Call the police!	เรียกตำรวจมา rêe·ak đam-ròo·at mah
Could you please help?	ช่วยได้ไหม chôo·ay dâi măi
Can I use your phone?	ใช้โทรศัพท์ของคุณได้ไหม chái toh-rá-sàp kŏrng kun dâi măi
I'm lost.	ผม/ดิฉัน หลงทาง pŏm/dì-chăn lŏng tahng **m/f**
Where are the toilets?	ห้องน้ำอยู่ที่ไหน hôrng nám yòo têe năi

PRACTICALITIES

Police

Where's the police station?	สถานีตำรวจอยู่ที่ไหน sà-tăh-nee đam-ròo·at yòo têe năi
I've been raped.	ผม/ดิฉันโดนข่มขืน pŏm/dì-chăn dohn kòm kĕun **m/f**
I've been robbed.	ผม/ดิฉันโดนขโมย pŏm/dì-chăn dohn kà-moy **m/f**
My … was stolen.	…ของผม/ดิฉันถูกขโมย … kŏrng pŏm dì-chăn tòok kà-moy **m/f**

PHRASE BUILDER

I've lost my …	ผม/ดิฉัน ทำ … หายแล้ว	pŏm/dì-chăn tam … hăi láa·ou **m/f**
bags	กระเป๋า	grà-Ɓŏw
money	เงิน	ngeun
passport	หนังสือเดินทาง	năng-sĕu deun tahng

I want to contact my embassy.	ผม/ดิฉัน อยากจะติดต่อสถานทูต pŏm/dì-chăn yàhk jà đìt đòr sà-tăhn tôot **m/f**
I want to contact my consulate.	ผม/ดิฉัน อยากจะติดต่อกงศุล pŏm/dì-chăn yàhk jà đìt đòr gong-sŭn **m/f**
I have insurance.	ผม/ดิฉันมีประกันอยู่ pŏm/dì-chăn mee Ɓrà-gan yòo **m/f**

Health

Where's the nearest chemist?	ร้านขายยา ที่ใกล้เคียงอยู่ที่ไหน ráhn kăi yah têe glâi kee·ang yòo têe năi
Where's the nearest dentist?	หมอฟันที่ใกล้เคียงอยู่ที่ไหน mŏr fan têe glâi kee·ang yòo têe năi
Where's the nearest hospital?	โรงพยาบาลที่ใกล้เคียงอยู่ที่ไหน rohng pá-yah-bahn têe glâi kee·ang yòo têe năi
I need a doctor (who speaks English).	ผม/ดิฉัน ต้องการหมอ (ที่พูดภาษาอังกฤษได้) pŏm/dì-chăn đôrng gahn mŏr (têe pôot pah-săh ang-grìt dâi) **m/f**
Could I see a female doctor?	พบกับคุณหมอผู้หญิงได้ไหม póp gàp kun mŏr pôo yĭng âi măi
My prescription is ...	มีใบสั่งยาสำหรับ... mee bai sàng yah săm-ràp
I need something for ...	ต้องการยาสำหรับ... đôrng gahn yah săm-ràp ...

PHRASE BUILDER

I feel ...	ผม/ดิฉันรู้สึก ...	pŏm/dì-chăn róo-sèuk ... **m/f**
dizzy	เวียนหัว	wee·an hŏo·a
nauseous	คลื่นไส้	klêun sâi
hot and cold	หนาว ๆ ร้อน ๆ	nŏw nŏw rórn rórn
weak	อ่อนเพลีย	òrn plee·a

PRACTICALITIES

Symptoms, Conditions & Allergies

I'm sick.	ผม/ดิฉันป่วย pŏm/dì-chăn ɓòo·ay **m/f**
It hurts here.	เจ็บตรงนี้ jèp đrong née
I've been injured.	ผม/ดิฉัน บาดเจ็บ pŏm/dì-chăn bàht jèp **m/f**
I've been vomiting.	ผม/ดิฉัน อาเจียน pŏm/dì-chăn ah-jee·an **m/f**
I'm allergic to antibiotics.	ผม/ดิฉันแพ้ยาปฏิชีวนะ pŏm/dì-chăn páa yah ɓà-đì-chee-wá-ná **m/f**
I'm allergic to aspirin.	ผม/ดิฉันแพ้ยาแอสไพริน pŏm/dì-chăn páa yah àat-sà-pai-rin **m/f**
I'm allergic to penicillin.	ผม/ดิฉันแพ้ยาเพนนิซิลลิน pŏm/dì-chăn páa yah pen-ní-sin-lin **m/f**

PHRASE BUILDER

I have (a/an) ...	ผม/ดิฉัน ...	pŏm/dì-chăn ... **m/f**
cough	เป็นไอ	ɓen ai
fever	เป็นไข้	ɓen kâi
heatstroke	แพ้แดด	páa dàat
malaria	เป็นไข้มาเลเรีย	ɓen kâi mah-lair-ree·a

Dictionary

ENGLISH *to* THAI

The symbols ⓝ, ⓐ and ⓥ (indicating noun, adjective and verb) have been added for clarity where an English term could be either.

a

accommodation ที่พัก têe pák
account บัญชี ban-chee
aeroplane เครื่องบิน krêu·ang bin
afternoon ตอนบ่าย đorn bài
air-conditioned ปรับอากาศ bràp ah-gàht
airport สนามบิน sà-năhm bin
airport tax ภาษีสนามบิน pah-sĕe sà-năhm bin
alarm clock นาฬิกาปลุก nah-lí-gah blùk
alcohol เหล้า lôw
antique วัตถุโบราณ wát-tù boh-rahn
appointment การนัด gahn nát
art gallery ห้องแสดงภาพ hôrng sà-daang pâhp
ashtray ที่เขี่ยบุหรี่ têe kèe·a bù-rèe
at ที่ têe
automated teller machine (ATM) ตู้เอทีเอ็ม đôo air tee em
autumn หน้าใบไม้ร่วง nâh bai mái rôo·ang

b

baby ทารก tah-rók
back (body) หลัง lăng
backpack เป้ bâir
bad เลว le·ou
bag ถุง tŭng
baggage กระเป๋า grà-bŏw
baggage allowance พิกัดน้ำหนักกระเป๋า pí-gàt nám nàk grà-bŏw
baggage claim ที่รับกระเป๋า têe ráp grà-bŏw

bakery ที่ขายขนมปัง têe kăi kà-nŏm ɓang
Band-Aid ปลาสเตอร์ ɓlah-sà-đeu
bank ธนาคาร tá-nah-kahn
bathroom ห้องน้ำ hôrng nám
battery (flashlight) ถ่านไฟฉาย tàhn fai chăi
battery (car) หม้อแบตเตอรี่ môr bàat-đeu-rêe
beach ชายหาด chai hàht
beautiful สวย sŏo·ay
beauty salon ร้านเสริมสวย ráhn sĕum sŏo·ay
bed เตียง đee·ang
bed linen ผ้าปูที่นอน pâh ɓoo têe norn
bedroom ห้องนอน hôrng norn
beer เบียร์ bee·a
bicycle รถจักรยาน rót jàk-gà-yahn
big ใหญ่ yài
bill (restaurant etc) บิลล์ bin
birthday วันเกิด wan gèut
black สีดำ sĕe dam
blanket ผ้าห่ม pâh hòm
blood group กลุ่มเลือด glum lêu·at
blue (light) สีฟ้า sĕe fáh
blue (dark) สีน้ำเงิน sĕe nám ngeun
boarding house บ้านพัก bâhn pák
boarding pass บัตรขึ้นเครื่องบิน bàt kêun krêu·ang bin
boat เรือ reu·a
book หนังสือ năng-sĕu
book (make a booking) จอง jorng
book shop ร้านขายหนังสือ ráhn kăi năng-sĕu
booked out จองเต็มแล้ว jorng đem láa·ou
border ชายแดน chai daan
bottle ขวด kòo·at
box กล่อง glòrng
boy เด็กชาย dèk chai
boyfriend แฟนผู้ชาย faan pôo chai
bra ยกทรง yók song
brakes เบรก brèk
bread ขนมปัง kà-nŏm ɓang
briefcase กระเป๋าเอกสาร grà-ɓŏw èk-gà-săhn
broken หักแล้ว hàk láa·ou
brother (older) พี่ชาย pêe chai
brother (younger) น้องชาย nórng chai
brown สีน้ำตาล sĕe nám đahn
building ตึก đèuk
bus (city) รถเมล์ rót mair
bus (intercity) รถบัส rót bàt
bus station สถานีขนส่ง sà-thăh-nee kŏn sòng
bus stop ป้ายรถเมล์ ɓâi rót mair
business ธุรกิจ tú-rá-gìt
business class ชั้นธุรกิจ chán tú-rá-gìt
busy ยุ่ง yûng
butcher's shop ร้านขายเนื้อ ráhn kăi néu·a

C

café ร้านกาแฟ ráhn gah-faa
call เรียก rêe·ak
camera กล้องถ่ายรูป glôrng tài rôop
can (be able) เป็น ɓen
can (have permission) ได้ dâi
can (tin) กระป๋อง grà-ɓŏrng
cancel ยกเลิก yók lêuk
car รถยนต์ rót yon
car hire การเช่ารถ gahn chôw rót
car owner's title ใบกรรมสิทธิ์รถยนต์ bai gam-má-sìt rót yon
car park ที่จอดรถ têe jòrt rót
car registration ทะเบียนรถ tá-bee·an rót
cash เงินสด ngeun sòt
cashier แคเชียร์ kaa-chee·a
change ⓝ การเปลี่ยนแปลง gahn ɓlèe·an ɓlaang
change (coins) เงินปลีก ngeun ɓlèek
change (money) แลก lâak
check (banking) เช็ค chék
check-in (desk) เช็คอิน chék in
cheque (banking) เช็ค chék
child เด็ก dèk

church โบสถ์ bòht
cigarette lighter ไฟแช็ค fai cháak
city เมือง meu·ang
city centre ใจกลางเมือง jai glahng meu·ang
clean ⓐ สะอาด sà-àht
cleaning การทำสะอาด gahn tam sà-àht
cloakroom ห้องเก็บเสื้อ hôrng gèp sêu·a
closed ปิดแล้ว 𝖇ìt láa·ou
clothing เสื้อผ้า sêu·a pâh
coat เสื้อคลุม sêu·a klum
coffee กาแฟ gah-faa
coins เหรียญ rĕe·an
cold เย็น yen
comfortable สบาย sà-bai
company บริษัท bor-rí-sàt
computer คอมพิวเตอร์ korm-pew-đeu
condom ถุงยางอนามัย tŭng yahng à-nah-mai
confirm (a booking) ยืนยัน yeun yan
connection ข้อต่อ kôr đòr
convenience store ร้านขายของชำ ráhn kăi kŏrng cham
cook ⓝ คนครัว kon kroo·a
cook ⓥ ทำอาหาร tam ah-hăhn
cool เย็น yen
cough ไอ ai
countryside ชนบท chon-ná-bot
cover charge ค่าผ่านประตู kâh pàhn 𝖇rà-đoo
crafts หัตถกรรม hàt-tà-gam
credit card บัตรเครดิต bàt crair-dìt
currency exchange การแลกเงิน gahn lâak ngeun
customs ศุลกากร sŭn-lá-gah-gorn

d

daily รายวัน rai wan
date (day) วันที่ wan têe
date of birth วันที่เกิด wan têe gèut
daughter ลูกสาว lôok sŏw
day วัน wan
day after tomorrow (the) วันมะรืน wan má-reun
day before yesterday (the) เมื่อวานซืน mêu·a wahn seun
delay การเสียเวลา gahn sĕe·a wair-lah
depart (leave) ออกเดินทาง òrk deun tahng
department store สรรพสินค้า sàp-pá-sĭn-káh
departure ขาออก kăh òrk
diaper ผ้าอ้อม pâh ôrm
dictionary พจนานุกรม pót-jà-nah-nú-grom
dining car ตู้รับประทานอาหาร đôo ráp 𝖇rà-tahn ah-hăhn
dinner อาหารมื้อเย็น ah-hăhn méu yen
direct ทางตรง tahng đrong
dirty สกปรก sòk-gà-𝖇ròk
discount ราคาส่วนลด rah-kah sòo·an lót
dish จาน jahn
doctor หมอ mŏr
dog หมา măh
double bed เตียงคู่ đee·ang kôo
double room ห้องคู่ hôrng kôo
dress ⓝ กระโปรง grà-𝖇rohng
drink ⓝ เครื่องดื่ม krêu·ang dèum
drink ⓥ ดื่ม dèum
drivers licence ใบขับขี่ bai kàp kèe
drunk เมา mow
dry ⓐ แห้ง hâang

e

each แต่ละ đàa-lá
early เช้า chów
east ทิศตะวันออก tít đà-wan òrk
eat (informal) กิน gin
eat (polite) ทาน tahn
eat (very formal) รับประทาน ráp 𝖇rà-tahn
economy class ชั้นประหยัด chán 𝖇rà-yàt

elevator ลิฟต์ líp
embassy สถานทูต sà-tăhn tôot
English อังกฤษ ang-grìt
enough พอ por
entry การเข้า gahn kôw
envelope ซองจดหมาย sorng jòt-măi
evening ตอนเย็น đorn yen
every ทุก túk
everything ทุกสิ่ง túk sìng
excess (baggage) (น้ำหนัก) เกิน (nám nàk) geun
exchange ⓝ การแลกเปลี่ยน gahn lâak Ъlèe·an
exchange ⓥ แลกเปลี่ยน lâak Ъlèe·an
exhibition นิทรรศการ ní-tát-sà-gahn
exit ⓝ ทางออก tahng òrk
expensive แพง paang
express mail (by) ไปรษณีย์ด่วน Ъrai-sà-nee dòo·an

f

fall (autumn) หน้าใบไม้ร่วง nâh bai mái rôo·ang
family ครอบครัว krôrp kroo·a
fare ค่าโดยสาร kâh doy săhn
fashion แฟชั่น faa-chân
fast เร็ว re·ou
father inf พ่อ pôr
father pol บิดา bì-dah
ferry เรือข้ามฟาก reu·a kâhm fâhk
fever ไข้ kâi
film (cinema) ภาพยนตร์ pâhp-pá-yon
film (for camera) ฟิล์ม fim
fine (penalty) ค่าปรับ kâh Ъràp
finger นิ้ว néw
first class ชั้นหนึ่ง chán nèung
fish shop ร้านขายปลา ráhn kăi plah
fleamarket ตลาดขายของเบ็ดเตล็ด đà-làht kăi kŏrng bèt đà-lèt
flight เที่ยวบิน têe·o bin
floor (storey) ชั้น chán
flu ไข้หวัด kâi wàt
footpath ทางเดิน tahng deun
foreign ต่างชาติ đàhng châht
forest ป่า Ъàh
free (not bound) อิสระ ìt-sà-rà
free (of charge) ฟรี free
fresh สด sòt
friend เพื่อน pêu·an

g

garden สวน sŏo·an
gas (for cooking) ก๊าซ gáht
gas (petrol) น้ำมันเบนซิน nám-man ben-sin
gift ของขวัญ kŏrng kwăn
girl สาว sŏw
girlfriend แฟนสาว faan sŏw
glasses แว่นตา wâan đah
glove(s) ถุงมือ tŭng meu
go ไป Ъai
go out ไปข้างนอก Ъai kâhng nôrk
go shopping ไปซื้อของ Ъai séu kŏrng
gold ทองคำ torng kam
grateful ปลื้มใจ Ъlêum jai
gray สีเทา sĕe tow
green สีเขียว sĕe kĕe·o
grocery ร้านขายของชำ ráhn kăi kŏrng cham
guesthouse บ้านพัก bâhn pák
guided tour ทัวร์ too·a

h

half ครึ่ง krêung
handsome รูปหล่อ rôop lòr
heated เร่าร้อน rôw rórn
help ⓝ ความช่วยเหลือ kwahm chôo·ay lĕu·a
help ⓥ ช่วย chôo·ay
here ที่นี่ têe nêe
highway ทางหลวง tahng lŏo·ang
hire เช่า chôw
holiday (public) วันหยุด wan yùt
holidays การพักร้อน gahn pák rórn

honeymoon ดื่มน้ำผึ้งพระจันทร์ dèum nám pêung prá jan
hot ร้อน rórn
hot (spicy) เผ็ด pèt
hot springs บ่อน้ำร้อน bòr nám rórn
hot water น้ำร้อน nám rórn
hotel โรงแรม rohng raam
hour ชั่วโมง chôo·a mohng
husband ผัว pŏo·a

i

identification หลักฐาน làk tăhn
identification card (ID) บัตรประจำตัว bàt bprà-jam dtoo·a
ill ป่วย bpòo·ay
included รวมด้วย roo·am dôo·ay
information ข้อมูล kôr moon
insurance การประกัน gahn bprà-gan
interpreter ล่าม lâhm
itinerary รายการเดินทาง rai gahn deun tahng

j

jacket เสื้อกันหนาว sêu·a gan nŏw
jeans กางเกงยีน gahng geng yeen
jewellery เครื่องเพชรพลอย krêu·ang pét ploy
journey การเดินทาง gahn deun tahng
jumper (sweater) เสื้อถัก sêu·a tàk

k

key ลูกกุญแจ lôok gun-jaa
kind ใจดี jai dee
kitchen ครัว kroo·a

l

lane ซอย soy
large ใหญ่ yài
last (previous) ทีแล้ว tee láaw
late ช้า cháh
later ทีหลัง tee lăng
launderette โรงซักรีด rohng sák rêet
laundry (clothes) ผ้าซัก pâh sák
leather หนัง năng
left luggage (office) ห้องรับฝากกระเป๋า hôrng ráp fàhk grá-bpŏw
letter (mail) จดหมาย jòt-măi
lift (elevator) ลิฟต์ líp
linen (material) ผ้าลินิน pâh lí-nin
locked ใส่กุญแจแล้ว sài gun-jaa láa·ou
look for หา hăh
lost หาย hăi
lost property office ที่แจ้งของหาย têe jâang kŏrng hăi
luggage กระเป๋า grà-bpŏw
luggage lockers ตู้ฝากกระเป๋า dtôo fàhk grà-bpŏw
lunch อาหารกลางวัน ah-hăhn glahng wan

m

mail (postal system) ไปรษณีย์ bprai-sà-nee
make-up เครื่องสำอาง krêu·ang săm-ahng
man ผู้ชาย pôo chai
manager ผู้จัดการ pôo jàt gahn
map แผนที่ păan têe
market ตลาด dtà-làht
meal มื้ออาหาร méu ah-hăhn
meat เนื้อ néu·a
medicine (medication) ยา yah
metro station สถานีรถไฟใต้ดิน sà-tăh-nee rót fai dtâi din
midday เที่ยงวัน têe·ang wan
midnight เที่ยงคืน têe·ang keun
milk น้ำนม nám nom
mineral water น้ำแร่ nám râa
mobile phone โทรศัพท์มือถือ toh-rá-sàp meu tĕu
modem โมเดม moh-dem
money เงิน ngeun

month เดือน deu·an
morning ตอนเช้า đorn chów
mother inf แม่ mâa
mother pol มารดา mahn-dah
motorcycle รถมอเตอร์ไซค์ rót mor-đeu-sai
motorway (tollway) ทางด่วน tahng dòo·an
mountain ภูเขา poo kŏw
museum พิพิธภัณฑ์ pí-pít-tá-pan
music shop ร้านดนตรี ráhn don-đree

n

name ชื่อ chêu
napkin ผ้าเช็ดปาก pâh chét Ƀàhk
nappy ผ้าอ้อม pâh ôrm
newsagency ร้านขายหนังสือพิมพ์ ráhn kăi năng-sĕu pim
next (month) หน้า nâh
nice (food only) อร่อย à-ròy
night คืน keun
night out เที่ยวกลางคืน têe·o glahng keun
nightclub ไนต์คลับ nai kláp
no vacancy ไม่มีห้องว่าง mâi mee hôrng wâhng
non-smoking ไม่สูบบุหรี่ mâi sòop bù-rèe
noon เที่ยง têe·ang
north ทิศเหนือ tít nĕu·a
now เดี๋ยวนี้ dĕe·o née
number (figure) หมายเลข măi lêk
number (quantity) จำนวน jam-noo·an
nurse (female) นางพยาบาล nahng pá-yah-bahn
nurse (male) บุรุษพยาบาล bù-rùt pá-yah-bahn

o

oil น้ำมัน nám man
one-way (ticket) เที่ยวเดียว têe·o dee·o
open ⓐ&ⓥ เปิด Ƀèut
opening hours เวลาเปิด wair-lah Ƀèut
orange (colour) สีส้ม sĕe sôm
out of order เสีย sĕe·a

p

painter ช่างทาสี châhng tah sĕe
painting (a work) ภาพเขียน pâhp kĕe·an
painting (the art) จิตรกรรม jit-đrà-gam
pants (trousers) กางเกง gahng-geng
pantyhose ถุงน่อง tŭng nôrng
paper กระดาษ grà-dàht
party (night out) งานเลี้ยง ngahn lée·ang
passenger ผู้โดยสาร pôo doy săhn
passport หนังสือเดินทาง năng-sĕu deun tahng
passport number หมายเลขหนังสือเดินทาง măi lêk năng-sĕu deun tahng
path ทาง tahng
pensioner คนกินเงินบำนาญ kon gin ngeun bam-nahn
performance งานแสดง ngahn sà-daang
petrol เบนซิน ben-sin
petrol station ปั๊มน้ำมัน Ƀám nám-man
phone book สมุดโทรศัพท์ sà-mùt toh-rá-sàp
phone box ตู้โทรศัพท์ đôo toh-rá-sàp
phone card บัตรโทรศัพท์ bàt toh-rá-sàp
phrasebook คู่มือสนทนา kôo meu sŏn-tá-nah
picnic ปิกนิก Ƀìk-ník
pillow หมอน mŏrn
pillowcase ปลอกหมอน Ƀlòrk mŏrn
pink สีชมพู sĕe chom-poo
platform ชานชาลา chahn chah-lah

police officer นายตำรวจ nai đam-ròo·at
police station สถานีตำรวจ sà-tăh-nee đam-ròo·at
post code รหัสไปรษณีย์ rá-hàt ɓrai-sà-nee
pound (money, weight) ปอนด์ ɓorn
prescription ใบสั่งยา bai sàng yah
present (gift) ของขวัญ kŏrng kwăn
price ราคา rah-kah

q

quick เร็ว re·ou

r

receipt ใบเสร็จ bai sèt
red สีแดง sĕe daang
refund เงินคืน ngeun keun
rent เช่า chôw
repair ซ่อม sôrm
retired ปลดเกษียณ ɓlòt gà-sĕe·an
return (ticket) ไปกลับ ɓai glàp
return (come back) กลับ glàp
road ถนน tà-nŏn
rob ขโมย kà-moy
room ห้อง hôrng
room number หมายเลขห้อง măi lêk hôrng
route สาย săi

s

safe ⓝ ตู้เซฟ đôo sép
safe ⓐ ปลอดภัย ɓlòrt pai
sea ทะเล tá-lair
season หน้า nâh
seat (place) ที่นั่ง têe nâng
seatbelt เข็มขัดนิรภัย kĕm kàt ní-rá-pai
service การบริการ gahn bor-rí-gahn
service charge ค่าบริการ kâh bor-rí-gahn
share (a dorm etc) รวมกันใช้ rôo·am gan chái
share (with) แบ่ง bàang
shirt เสื้อเชิ้ต sêu·a chéut
shoe รองเท้า rorng tów
shop ⓝ ร้าน ráhn
shop ⓥ ซื้อของ séu kŏrng
shopping centre สรรพสินค้า sàp-pá-sĭn-káh
short (height) เตี้ย đêe·a
show ⓝ งานแสดง ngahn sà-daang
show ⓥ แสดง sà-daang
shower ฝักบัว fàk boo·a
sick ป่วย ɓòo·ay
silver เงิน ngeun
single (person) โสด sòht
single room ห้องเดี่ยว hôrng dèe·o
sister (older) พี่สาว pêe sŏw
sister (younger) น้องสาว nórng sŏw
size (general) ขนาด kà-nàht
skirt กระโปรง grà-ɓrohng
Skytrain station สถานีรถไฟฟ้า sà-tăh-nee rót fai fáh
sleeping bag ถุงนอน tŭng norn
slide (film) ฟิล์มสไลด์ fim sà-lái
smoke ⓥ ควัน kwan
snack ⓝ อาหารว่าง ah-hăhn wâhng
snow ⓝ หิมะ hì-má
sock(s) ถุงเท้า tŭng tów
son ลูกชาย lôok chai
soon เร็วๆนี้ re·ou re·ou née
south ทิศใต้ tít đâi
spring (season) หน้าใบไม้ผลิ nâh bai mái plì
stairway บันได ban-dai
stamp แสตมป์ sà-đaam
stationer's (shop) ร้านขายอุปกรณ์เขียน ráhn kăi ùp-ɓà-gorn kĕe·an
stolen ขโมยแล้ว kà-moy láa·ou
street ถนน tà-nŏn
student นักศึกษา nák sèuk-săh
subtitles คำบรรยาย kam ban-yai
suitcase กระเป๋าเดินทาง grà-ɓŏw deun tahng

summer หน้าร้อน nâh rórn
supermarket ซูเปอร์มาร์เก็ต soo-bèu-mah-gèt
surface mail ไปรษณีย์ทางธรรมดา brai-sà-nee tahng tam-má-dah
surname นามสกุล nahm sà-gun
sweater เสื้อถัก sêu·a tàk
swim ⓥ ว่ายน้ำ wâi nám
swimming pool สระว่ายน้ำ sà wâi nám

t

tall สูง sŏong
taxi stand ที่จอดรถแท็กซี่ têe jòrt rót táak-sêe
ticket ตั๋ว đŏo·a
ticket machine เครื่องขายตั๋ว krêu·ang kăi đŏo·a
ticket office ช่องขายตั๋ว chôrng kăi đŏo·a
time เวลา wair-lah
timetable ตารางเวลา đah-rahng wair-lah
tip (gratuity) เงินทิป ngeun típ
to ถึง tĕung
today วันนี้ wan née
together ด้วยกัน dôo·ay gan
tomorrow พรุ่งนี้ prûng née
tour ⓝ ทัวร์ too·a
tourist office สำนักงานท่องเที่ยว săm-nák ngahn tôrng têe·o
towel ผ้าเช็ดตัว pâh chét đoo·a
train รถไฟ rót fai
train station สถานีรถไฟ sà-thăh-nee rót fai
travel agency บริษัทท่องเที่ยว bor-rí-sàt tôrng têe·o
trip (journey) เที่ยว têe·o
trousers กางเกง gahng-geng
twin beds สองเตียง sŏrng đee·ang

u

underwear กางเกงใน gahng-geng nai

v

vacancy ห้องว่าง hôrng wâhng
vacant ว่าง wâhng
vacation เที่ยวพักผ่อน têe·o pák pòrn
validate ทำให้ถูกต้อง tam hâi tòok đôrng
vegetable ผัก pàk
view ⓝ ทิวทัศน์ tew tát

w

walk เดิน deun
warm อุ่น ùn
wash (general) ล้าง láhng
wash (clothes) ซัก sák
wash (hair) สระ sà
washing machine เครื่องซักผ้า krêu·ang sák pâh
watch ⓝ นาฬิกา nah-lí-gah
watch ⓥ ดู doo
water น้ำ nám
way ทาง tahng
west ทิศตะวันตก tít đà-wan đòk
what อะไร à-rai
when เมื่อไร mêu·a rai
where ที่ไหน têe năi
which อันไหน an năi
who ใคร krai
why ทำไม tam mai
wide กว้าง gwâhng
wife เมีย mee·a
window หน้าต่าง nâh đàhng
wine เหล้าไวน์ lôw wai
winter หน้าหนาว nâh nŏw
woman ผู้หญิง pôo yĭng
wrong ผิด pìt

y

year ปี bee
yesterday เมื่อวาน mêu·a wahn
youth hostel บ้านเยาวชน bâhn yow-wá-chon

Dictionary

THAI *to* ENGLISH

If you're having trouble understanding Thai, point to the text below. This gives directions on how to look up words in Thai and show you the English translation.

ใช้พจนานุกรมไทย–อังกฤษนี้เพื่อช่วยชาวต่างชาติคนนี้เข้าใจสิ่งที่คุณอยากจะพูดค้นหาศัพท์จากรายการศัพท์ภาษาไทยแล้วชี้ให้เห็นศัพท์ภาษาอังกฤษที่ตรงกับศัพท์นั้น

ก

กระดาษ grà-dàht **paper**
กระป๋อง grà-ɓŏrng **can • tin**
กระเป๋า grà-ɓŏw **baggage • luggage**
กระเป๋าเดินทาง grà-ɓŏw deun tahng **suitcase**
กระโปรง grà-ɓrohng **dress • skirt**
กล้องถ่ายรูป glôrng tài rôop **camera**
กลับ glàp **return (come back)**
กลุ่มเลือด glum lêu·at **blood group**
ก๊อกน้ำ górk nám **tap**
กับแกล้ม gàp glâam **drinking food**
กางเกง gahng-geng **pants • trousers**
กางเกงขาสั้น gahng-geng kăh sân **shorts**
กางเกงใน gahng geng nai **underwear**
กางเกงยีน gahng geng yeen **jeans**
ก๊าซ gáht **gas (for cooking)**
กาแฟ gah-faa **coffee**
การจอง gahn jorng **reservation (booking)**
การช้าเวลา gahn cháh wair-lah **delay**
การเช่ารถ gahn chôw rót **car hire**
การต่อ gahn đòr **connection (transport)**
การถ่ายภาพ gahn tài pâhp **photography**
การทำสะอาด gahn tam sà-àht **cleaning**
การนัด gahn nát **appointment**
การบริการ gahn bor-rí-gahn **service**
การประกัน gahn ɓrà-gan **insurance**
การประชุมgahn ɓrà-chum **conference**
การปรับร่างกายกับเวลาที่แตกต่าง gahn ɓràp râhng gai gàp wair-lah têe đàak đàhng **jet lag**
การพักร้อน gahn pák rórn **holidays**
การแลกเงิน gahn lâak ngeun **currency exchange**

การสัมภาษณ์ gahn săm-pâht **interview**
การต่อยมวย gahn đòy moo·ay **boxing**
กำหนดความเร็ว gam-nòt kwahm re·ou **speed limit**
ใกล้ glâi **close • near**
ใกล้เคียง glâi kee·ang **nearby**
ใกล้ที่สุด glâi têe-sùt **nearest**
ไกด์ gai **guide (person)**

ข

ขนแกะ kŏn gàa **wool**
ขนมปัง kà-nŏm bang **bread**
ขนาด kà-nàht **size (general)**
ขโมย kà-moy **thief**
ขโมย kà-moy **steal**
ขโมยแล้ว kà-moy láa·ou **stolen**
ขวด kòo·at **bottle**
ขวา kwăh **right (direction)**
ข้อความฝาก kôr kwahm fàhk **message**
ของขวัญ kŏrng kwăn **present (gift)**
ของที่ระลึก kŏrng têe rá-léuk **souvenir**
ข้อต่อ kôr đòr **connection**
ข้อมูล kôr moon **information**
ขอแสดงความยินดี kŏr sà-daang kwahm yin dee **congratulations**
ขาเข้า kăh kôw **arrivals**
ข้างนอก kâhng nôrk **outside**
ข้างใน kâhng nai **inside**
ข้างหลัง kâhng lăng **behind**
ข้างๆ kâhng kâhng **beside**
ข่าว kòw **news**
เข็มขัดนิรภัย kĕm kàt ní-rá-pai **seatbelt**
ไข้ kâi **fever**

ค

คนกินเงินบำนาญ kon gin ngeun bam-nahn **pensioner**
คนกินเจ kon gin jair **vegetarian**
คนครัว kon kroo·a **cook**
ครอบครัว krôrp kroo·a **family**
ควัน kwan **smoke**
คอมพิวเตอร์ korm-pew-đeu **computer**
คอมพิวเตอร์แล็ปท็อป korm-pew-đeu láap-tórp **laptop**
ค่าบริการ kâh bor-rí-gahn **service charge**
ค่าปรับ kâh bràp **fine (penalty)**
ค่าผ่านประตู kâh pàhn brà-đoo **cover charge**
คำบรรยาย kam ban-yai **subtitles**
คำร้องทุกข์ kam rórng túk **complaint**
คืน keun **night**
คู่มือนำเที่ยว kôo meu nam têe·o **guidebook**
คู่มือสนทนา kôo meu sŏn-tá-nah **phrasebook**
เครื่องซักผ้า krêu·ang sák pâh **washing machine**
เครื่องดื่ม krêu·ang dèum **drink**
เครื่องบริการตั๋ว krêu·ang bor-rí-gahn đŏo·a **ticket machine**
เครื่องบิน krêu·ang bin **aeroplane**
เครื่องเพชรพลอย krêu·ang pét ploy **jewellery**
แคเชียร์ kaa-chee·a **cashier**
ใคร krai **who**

ง

งานเต้นรำ ngahn đên ram **rave • dance party**
งานเลี้ยง ngahn lée·ang **party**
งานแสดง ngahn sà-daang **show**
เงิน ngeun **money •silver**
เงินคืน ngeun keun **refund**
เงินทิป ngeun típ **tip (gratuity)**
เงินปลีก ngeun blèek **change (coins)**
เงินมัดจำ ngeun mát jam **deposit**
เงินสด ngeun sòt **cash**

จ

จดหมาย jòt-măi **letter • mail**
จมูก jà-mòok **nose**
จอง jorng **book (make a booking)**
จาน jahn **dish**
จิตรกรรม jìt-đrà-gam **painting (the art)**

ใจกลางเมือง jai glahng meu·ang **city centre**

ช

ชนบท chon-ná-bot **countryside**
ช่องขายตั๋ว chôrng kăi đŏo·a **ticket office**
ชั้นธุรกิจ chán tú-rá-gìt **business class**
ชั่วโมง chôo·a mohng **hour**
ช้า cháh **late**
ชายแดน chai daan **border**
ชายหาด chai hàht **beach**
ชื่อ chêu **name**
เช็ค chék **cheque • check**
เช็คเดินทาง chék deun tahng **travellers cheque**
เช็คอิน chék in **check-in (desk)**
เช่า chôw **hire • rent**

ซ

ซ่อม sôrm **repair**
ซัก sák **wash (clothes)**
ซื้อของ séu kŏrng **shop**
ซูเปอร์มาร์เก็ต soo-ƅeu-mah-gèt **supermarket**

ด

ดนตรี don-đree **music**
ดนตรีร็อค don-đree rórk **rock (music)**
ด่วน dòo·an **urgent**
ด้วยกัน dôo·ay gan **together**
ดื่ม dèum **drink**
ดื่มน้ำผึ้งพระจันทร์ dèum nám pêung prá jan **honeymoon**
เด็ก dèk **child**
เด็กชาย dèk chai **boy**
เด็กๆ dèk dèk **children**
เดิน deun **walk**
เดินทางธุรกิจ deun tahng tú-rá-gìt **business trip**
เดี๋ยวนี้ dĕe·o née **now**
เดือน deu·an **month**

ต

ตลาด đà-làht **market**
ตลาดน้ำ đà-làht nám **floating market**
ตอนเช้า đorn chów **morning**
ตอนบ่าย đorn bài **afternoon**
ตั๋ว đŏo·a **ticket**
ต่างชาติ đàhng châht **foreign**
ตารางเวลา đah-rahng wair-lah **timetable**
ตำรวจ đam-ròo·at **police**
ตู้เซฟ đôo sép **safe**
ตู้โทรศัพท์ đôo toh-rá-sàp **phone box**
ตู้นอน đôo norn **sleeping car**
ตู้ฝากกระเป๋า đôo fàhk grà-ƅŏw **luggage lockers**
ตู้รับประทานอาหาร đôo ráp ƅrà-tahn ah-hăhn **dining car**
ตู้เอทีเอ็ม đôo air tee em **automated teller machine (ATM)**
เตี้ย đêe·a **short (height)**
เตียง đee·ang **bed**
เตียงคู่ đee·ang kôo **double bed**

ถ

ถ่านไฟฉาย tàhn fai chăi **battery (flashlight)**
ถึง tĕung **to**
ถุง tŭng **bag**
ถุงนอน tŭng norn **sleeping bag**
ถุงยางอนามัย tŭng yahng à-nah-mai **condom**
แถม tăam **complementary (free)**

ท

ทองคำ torng kam **gold**
ทะเบียนรถ tá-bee·an rót **car registration**
ทะเล tá-lair **sea**
ทะเลสาบ tá-lair sàhp **lake**
ทั้งสอง táng sŏrng **both**
ทั้งหมด táng mòt **all**
ทันสมัย tan sà-măi **modern**

ทัวร์ too·a **tour • guided tour**
ทาง tahng **path**
ทางด่วน tahng dòo·an **motorway (tollway)**
ทางตรง tahng đrong **direct**
ทางหลวง tahng lŏo·ang **highway**
ทาน tahn **eat (polite)**
ทารก tah-rók **baby**
ทำไม tam mai **why**
ทำสะอาด tam sà-àht **clean**
ทำให้ถูกต้อง tam hâi tòok đôrng **validate**
ทำอาหาร tam ah-hăhn **cook**
ทิวทัศน์ tew tát **view**
ทิศตะวันตก tít đà-wan đòk **west**
ทิศใต้ tít đâi **south**
ทิศเหนือ tít nĕu·a **north**
ที่ têe **at**
ที่ขายขนมปัง têe kăi kà-nŏm Ƅang **bakery**
ที่เขี่ยบุหรี่ têe kèe·a bù-rèe **ashtray**
ที่จอดรถแท็กซี่ têe jòrt rót táak-sêe **taxi stand**
ที่แจ้งของหาย têe jâang kŏrng hăi **lost property office**
ที่ซักผ้า têe sák pâh **laundry (place)**
ที่ทำการไปรษณีย์ têe tam gahn Ƅrai-sà-nee **post office**
ที่นั่ง têe nâng **seat (place)**
ที่นี่ têe née **here**
ที่พัก têe pák **accommodation**
ที่รับกระเป๋า têe ráp grà-Ƅŏw **baggage claim**
ทีแล้ว tee láa·ou **last (previous)**
ทีหลัง tee lăng **later**
ที่ไหน têe năi **where**
เที่ยงคืน têe·ang keun **midnight**
เที่ยงวัน têe·ang wan **midday**
เที่ยวกลางคืน têe·o glahng keun **night out**
เที่ยวเดียว têe·o dee·o **one-way (ticket)**
เที่ยวบิน têe·o bin **flight (aeroplane)**
เที่ยวพักผ่อน têe·o pák pòrn **vacation**
โทร toh **telephone**
โทรศัพท์ toh-rá-sàp **telephone**
โทรศัพท์มือถือ toh-rá-sàp meu tĕu **mobile phone**

ธ

ธนาคาร tá-nah-kahn **bank**
ธุรกิจ tú-rá-gìt **business**

น

น้องชาย nórng chai **brother (younger)**
นักศึกษา nák sèuk-săh **student**
น้ำ nám **water**
นางพยาบาล nahng pá-yah-bahn **nurse (female)**
นามสกุล nahm sà-kun **family name • surname**
นาฬิกา nah-lí-gah **watch**
นาฬิกาปลุก nah-lí-gah Ƅlùk **alarm clock**
น้ำนม nám nom **milk**
น้ำมัน nám man **oil**
น้ำมันเครื่อง nám man krêu·ang **oil (motor)**
น้ำมันเบนซิน nám-man ben-sin **gas (petrol)**

บ

บน bon **on**
บริษัท bor-rí-sàt **company**
บริษัทท่องเที่ยว bor-rí-sàt tôrng têe·o **travel agency**
บัญชี ban-chee **account**
บัญชีธนาคาร ban-chee tá-nah-kahn **bank account**
บัตรขึ้นเครื่องบิน bàt kêun krêu·ang bin **boarding pass**
บัตรเครดิต bàt crair-dìt **credit card**
บัตรโทรศัพท์ bàt toh-rá-sàp **phone card**
บันได ban-dai **stairway**
บ้านพัก bâhn pák **boarding house**
บ้านเยาวชน bâhn yow-wá-chon **youth hostel**
บิลล์ bin **bill/check (restaurant etc)**
บุรุษพยาบาล bù-rùt pá-yah-bahn **nurse (male)**
บุหรี่ bù-rèe **cigarette**
เบนซิน ben-sin **petrol**

เบรก brèk **brakes**
เบียร์ bee·a **beer**
แบ่ง bàang **share (with)**
โบสถ์ bòht **church**
ใบกรรมสิทธิ์รถยนต์ bai gam-má-sìt rót yon **car owner's title**
ใบขับขี่ bai kàp kèe **drivers licence**
ใบสั่งยา bai sàng yah **prescription**
ใบเสร็จ bai sèt **receipt**

ป

ประตู ɓrà-đoo **gate (airport, etc)**
ปรับอากาศ ɓràp ah-gàht **air-conditioned**
ปราสาท ɓrah-sàht **castle**
ปลอกหมอน ɓlòrk mŏrn **pillowcase**
ป่วย ɓòo·ay **sick • ill**
ปอนด์ ɓorn **pound (money, weight)**
ปัญญาอ่อน ɓan-yah òrn **idiot**
ปั๊มน้ำมัน ɓám nám-man **petrol station**
ป้ายรถเมล์ ɓâi rót mair **bus stop**
ปิกนิก ɓìk-ník **picnic**
ปิดแล้ว ɓìt láa·ou **closed**
ปี ɓee **year**
เป้ ɓâir **backpack**
เปลี่ยนแปลง ɓlèe·an ɓlaang **change (general)**
แปรง ɓraang **brush**
แปรงสีฟัน ɓraang sĕe fan **toothbrush**
ไป ɓai **go**
ไปกลับ ɓai glàp **return (ticket)**
ไปข้างนอก ɓai kâhng nôrk **go out**
ไปซื้อของ ɓai séu kŏrng **go shopping**
ไปรษณีย์ ɓrai-sà-nee **mail (postal system)**
ไปรษณีย์ทางธรรมดา ɓrai-sà-nee tahng tam-má-dah **surface mail**
ไปรษณียบัตร ɓrai-sà-nee-yá-bàt **postcard**

ผ

ผม pŏm **hair**
ผลไม้ pŏn-lá-mái **fruit**
ผัก pàk **vegetable**
ผ้าเช็ดตัว pâh chét đoo·a **towel**
ผ้าเช็ดปาก pâh chét ɓàhk **napkin**
ผ้าซัก pâh sák **laundry (clothes)**
ผ้าปูที่นอน pâh ɓoo têe norn **bed linen**
ผ้าลินิน pâh lí-nin **linen (material)**
ผ้าห่ม pâh hòm **blanket**
ผ้าไหม pâh măi **silk**
ผ้าอ้อม pâh ôrm **diaper/nappy**
ผิวเกรียมแดด pĕw gree·am dàat **sunburn**
ผู้จัดการ pôo jàt gahn **manager**
ผู้ชาย pôo chai **man**
ผู้โดยสาร pôo doy săhn **passenger**
ผู้หญิง pôo yĭng **woman**
เผ็ด pèt **hot (spicy)**
แผนที่ păan têe **map**
แผ่นพับโฆษณา pàan páp koh-sà-nah **brochure**

ฝ

ฝน fŏn **rain**
ฝักบัว fàk boo·a **shower**

พ

พจนานุกรม pót-jà-nah-nú-grom **dictionary**
พิกัดน้ำหนักกระเป๋า pí-gàt nám nàk grà-ɓŏw **baggage allowance**
พิพิธภัณฑ์ pí-pít-tá-pan **museum**
พี่ชาย pêe chai **brother (older)**
เพื่อน pêu·an **friend**

ฟ

ฟรี free **free (gratis)**
ฟิล์ม fim **film (for camera)**
ฟิล์มสไลด์ fim sà-lái **slide (film)**
แฟนผู้ชาย faan pôo chai **boyfriend**
แฟนสาว faan sŏw **girlfriend**
แฟลช flâat **flash (camera)**
ไฟ fai **light (electric)**
ไฟฉาย fai chăi **torch (flashlight)**
ไฟแช็ค fai cháak **cigarette lighter**

ภ

ภาพเขียน pâhp kĕe·an **painting (a work)**
ภาษีสนามบิน pah-sĕe sà-năhm bin **airport tax**
ภูเขา poo kŏw **mountain**

ม

มีดพับ mêet páp **penknife**
มื้ออาหาร méu ah-hăhn **meal**
เมา mow **drunk**
เมาคลื่น mow klêun **travel sickness (boat)**
เมาเครื่อง mow krêu·ang **travel sickness (air)**
เมีย mee·a **wife**
เมือง meu·ang **city**
เมื่อไร mêu·a rai **when**
เมื่อวาน mêu·a wahn **yesterday**
เมื่อวานซืน mêu·a wahn seun **day before yesterday**
โมเดม moh-dem **modem**
ไม่มี mâi mee **without**
ไม่มีห้องว่าง mâi mee hôrng wâhng **no vacancy**
ไม่สูบบุหรี่ mâi sòop bù-rèe **non-smoking**

ย

ยกทรง yók song **bra**
ยกเลิก yók lêuk **cancel**
ยา yah **medicine (medication)**
ยืนยัน yeun yan **confirm (a booking)**
ยุ่ง yûng **busy**
เย็น yen **cool • cold**

ร

รถเข็น rót kĕn **wheelchair**
รถเข็นเด็ก rót kĕn dèk **stroller**
รถจักรยาน rót jàk-gà-yahn **bicycle**
รถบัส rót bàt **bus (intercity)**
รถมอเตอร์ไซค์ rót mor-đeu-sai **motorcycle**
รถเมล์ rót mair **bus (city)**
รถยนต์ rót yon **car**
ร่วมกันใช้ rôo·am gan chái **share (a dorm etc)**
รหัสไปรษณีย์ rá-hàt ƀrai-sà-nee **post code**
รองเท้า rorng tów **shoe**
ร้อน rórn **hot**
รับประทาน ráp ƀrà-tahn **eat (very formal)**
ราคา rah-kah **price**
ราคาส่วนลด rah-kah sòo·an lót **discount**
ร้าน ráhn **shop**
ร้านกาแฟ ráhn gah-faa **cafe**
ร้านขายของชำ ráhn kăi kŏrng cham **convenience store**
ร้านขายเนื้อ ráhn kăi néu·a **butcher's shop**
ร้านขายหนังสือพิมพ์ ráhn kăi năng-sĕu pim **newsagency**
ร้านขายอุปกรณ์เขียน ráhn kăi ùp-ƀà-gorn kĕe·an **stationer's (shop)**
ร้านดนตรี ráhn don-đree **music shop**
ร้านเสริมสวย ráhn sĕum sŏo·ay **beauty salon**
ร้านอินเตอร์เนต ráhn in-đeu-nét **Internet cafe**
รายการเดินทาง rai gahn deun tahng **itinerary**
รายวัน rai wan **daily**
รูปหล่อ rôop lòr **handsome**
เรือ reu·a **boat**
เรือข้ามฟาก reu·a kâhm fâhk **ferry**
โรงซักรีด rohng sák rêet **launderette**
โรงพยาบาล rohng pá-yaa-bahn **hospital**
โรงแรม rohng raam **hotel**

ล

ละคร lá-korn **play (theatre)**
ล้าง láhng **wash (something)**
ล่าม lâhm **interpreter**

ลิฟต์ líp **lift (elevator)**
ลูกชาย lôok chai **son**
ลูกสาว lôok sŏw **daughter**
เล็ก lék **small**
เลว le·ou **bad**
วัตถุโบราณ wát-tù boh-rahn **antique**
วัน wan **day**
วันเกิด wan gèut **birthday**
วันที่ wan têe **date (day)**
วันที่เกิด wan têe gèut **date of birth**
วันนี้ wan née **today**
วันมะรืน wan má-reun **day after tomorrow**
ว่าง wâhng **free (available) • vacant**
ว่ายน้ำ wâi nám **swim**
เวลาเปิด wair-lah ƀèut **opening hours**
แว่นตา wâan đah **glasses (spectacles)**

ศ

ศุลกากร sŭn-lá-gah-gorn **customs**

ส

สกปรก sòk-gà-ƀròk **dirty**
สถานีขนส่ง sà-thăh-nee kŏn sòng **bus station**
สถานีตำรวจ sà-tăh-nee đam-ròo·at **police station**
สถานีรถไฟ sà-tăh-nee rót fai **train station**
สถานีรถไฟฟ้า sà-tăh-nee rót fai fáh **metro station**
สนามบิน sà-năhm bin **airport**
สบาย sà-bai **comfortable**
สมุดโทรศัพท์ sà-mùt toh-rá-sàp **phone book**
สรรพสินค้า sàp-pá-sĭn-káh **depart-ment store**
สรรพสินค้า sàp-pá-sĭn-káh **shopping centre**
สระว่ายน้ำ sà wâi nám **swimming pool**
สวน sŏo·an **garden**
สวย sŏo·ay **beautiful**
สองเตียง sŏrng đee·ang **twin beds**
สะอาด sà-àht **clean**
สำนักงานท่องเที่ยว săm-nák ngahn tôrng têe·o **tourist office**
สีขาว sĕe kŏw **white**
สีเขียว sĕe kĕe·o **green**
สีชมพู sĕe chom-poo **pink**
สีดำ sĕe dam **black**
สีแดง sĕe daang **red**
สีน้ำเงิน sĕe nám ngeun **blue (dark)**
สีน้ำตาล sĕe nám đahn **brown**
สีฟ้า sĕe fáh **blue (light)**
สีส้ม sĕe sôm **orange (colour)**
สีเหลือง sĕe lĕu·ang **yellow**
สุข sùk **happy**
สุขภาพ sù-kà-pâhp **health**
สุขาสาธารณะ sù-kăh săh-tah-rá-ná **public toilet**
เสีย sĕe·a **out of order**
เสื้อกันหนาว sêu·a gan nŏw **jacket**
เสื้อคลุม sêu·a klum **coat**
เสื้อเชิ้ต sêu·a chéut **shirt**
เสื้อถัก sêu·a tàk **jumper • sweater**
เสื้อผ้า sêu·a pâh **clothing**
แสตมป์ sà-đáam **stamp**
โสด sòht **single (person)**
ใส่กุญแจแล้ว sài gun-jaa láa·ou **locked**

ห

หนัก nàk **heavy**
หนัง năng **leather**
หนังสือ năng-sĕu **book**
หนังสือเดินทาง năng-sĕu deun tahng **passport**
หนังสือพิมพ์ năng-sĕu pim **newspaper**
หน้า nâh **next (month)**
หน้า nâh **season**
หน้าต่าง nâh đàhng **window**
หน้าใบไม้ผลิ nâh bai mái plì **spring (season)**
หน้าร้อน nâh rórn **summer**
หนาว nŏw **cold (sensation)**
หน้าหนาว nâh nŏw **winter**
หมอ mŏr **doctor**
หมอน mŏrn **pillow**
หมา măh **dog**

หมายเลขหนังสือเดินทาง măi lêk năng-sĕu deun tahng **passport number**
หมายเลขห้อง măi lêk hôrng **room number**
หลัง lăng **back (body)**
ห้อง hôrng **room**
ห้องเก็บเสื้อ hôrng gèp sêu·a **cloakroom**
ห้องคู่ hôrng kôo **double room**
ห้องเดี่ยว hôrng dèe·o **single room**
ห้องพักรอ hôrng pák ror **waiting room**
ห้องพักสำหรับคนเดินทางผ่าน hôrng pák săm-ràp kon deun tahng pàhn **transit lounge**
ห้องรับฝากกระเป๋า hôrng ráp fàhk grà-bŏw **left luggage (office)**
ห้องว่าง hôrng wâhng **vacancy**
ห้องแสดงภาพ hôrng sà-daang pâhp **art gallery**
หักแล้ว hàk láa·ou **broken**
หัตถกรรม hàt-tà-gam **crafts**
หาย hăi **lost**
หิวน้ำ hĕw nám **thirsty (to be)**
เหรียญ rĕe·an **coins**
เหล้า lôw **alcohol**
เหล้าไวน์ lôw wai **wine**
แห้ง hâang **dry**
ใหญ่ yài **big**
ใหญ่กว่า yài gwàh **bigger**
ใหม่ mài **new**

อ

อย่างช้า yàhng cháh **slowly**
อร่อย à-ròy **tasty**
ออกเดินทาง òrk deun tahng **depart (leave)**
อ่างน้ำ àhng nám **bath**
อาทิตย์ ah-tít **week**
อาหารกลางวัน ah-hăhn glahng wan **lunch**
อาหารมื้อเย็น ah-hăhn méu yen **dinner**
อาหารว่าง ah-hăhn wâhng **snack**
อินเตอร์เนต in-đeu-nét **Internet**
อุณหภูมิ un-hà-poom **temperature (weather)**
อุ่น ùn **warm**
อุบัติเหตุ ù-bàt-đì-hèt **accident**
ไอ ai **cough**

Acknowledgments
Associate Product Director Angela Tinson
Product Editor Sandie Kestell
Language Writer Bruce Evans, Joe Cummings
Cover Designer Campbell McKenzie
Cover Researcher Wibowo Rusli

Thanks
Kate Chapman, Gwen Cotter, James Hardy, Kate Kiely, Indra Kilfoyle, Juan Winata

Published by Lonely Planet Global Ltd
CRN 554153

1st Edition – Jun 2018

Cover Image A túk-túk parked in Bangkok's Chinatown, Elena Ermakova/Shutterstock©

Printed in China 10 9 8 7 6 5 4 3 2 1

Contact lonelyplanet.com/contact

Index

Hello.	สวัสดี sà-wàt-dee
Goodbye.	ลาก่อน lah gòrn
Please.	ขอ kŏr
Thank you.	ขอบคุณ kòrp kun
Excuse me.	ขอโทษ kŏr tôht
Sorry.	ขอโทษ kŏr tôht
Yes.	ใช่ châi
No.	ไม่ mâi
I don't understand.	ผม/ดิฉันไม่เข้าใจ pŏm/dì-chăn mâi kôw jai
How much is it?	ราคาเท่าไร rah-kah tôw rai

「あすこの坂の途中に、建ったばかりの家があるでしょう。」

「菊村って小料理屋？」

「ええ。あの店へ入るはずだったのを、ねえさんの心柄でふいにしちゃったんだわ。騒ぎだったわね、せっかく自分のために家を建てさせておいて、いざ入るばかりになった時に、蹴っちゃったんですもの。好きな人が出来て、その人と結婚するつもりだったんだけれど、騙されてたのね。夢中になると、あんなかしらね。その相手に逃げられたからって、今更元の鞘におさまって、店を貰いますというわけにもいかないし、みっともなくてこの土地にはいられないし、またよそで稼ぎ直すんですわ。考えると可哀想なんだわ。私達もよく知らなかったけれど、いろんな人があったのね。」

「男がね。五人もあったのかい。」

「そうね。」と、駒子は含み笑いをしたが、ふっと横を向いた。

「ねえさんも弱い人だったんだわ。弱虫だ。」

「しかたがないさ。」

「だってそうじゃないの。好かれたって、なんですか。」

うつ向いたまま簪で頭を掻いた。

「今日送って行って、せつなかったわ。」

「それでせっかくの店はどうしたの。」

「本妻が来てやってるわ。」

「本妻が来てやってるとは面白い。」

「だって、開業の支度もすっかり出来てたんですもの。そうでもするよりしかたがないでしょう。子供もみんなつれて、本妻が移って来たわ。」

「うちはどうしたんだね。」

「お婆さんを一人残してあるんですって。百姓なんですけれど、主人がこんなこと好きなのね。それは面白い人。」

「道楽者だね。もういい年なんだろう。」

「若いのよ。三十二三かしら。」

「へええ。それじゃ本妻よりお妾さんの方が年上になるところだったね。」

「おない年の二十七ね。」

「菊村というのは、菊勇の菊だろう。それを本妻がやってるのかね。」

「一度出した看板を変えるわけにもいかないからでしょう。」

島村が襟を掻き合わせると、駒子は立って行って窓をしめながら、

「ねえさんはあんたのこともよく知ってた。いらしたわねって、今日も言ってくれた。」

「挨拶に来てたのを帳場で見かけたよ。」

「なんか言った。」

「言やしないよ。」

「あんた私の気持分る？」と、駒子は今しめたばかりの障子をさっとあけて、窓に体を投げつけるように腰かけた。島村はしばらくしてから、

「星の光が東京とまるでちがうね。いかにも宙に浮いてるね。」

「月夜だからそうでもないわ。今年の雪はひどかったわ。」

「汽車が度々（たびたび）不通だったらしいね。」

「ええ、こわいくらい。自動車の通うのが、例年より一月も後れて、五月だったわ。スキイ場に売店があるでしょう、あの二階を雪崩（なだれ）が突き抜けて、下にいた人はそんなことを知らなくて、変な音がするから、台所で鼠（ねずみ）が騒いだんだろうと行ってみてなんともないから、二階へあがると雪だらけじゃないの。雨戸もなにも雪に持って行かれちゃってるのよ。表層雪崩なんだけれど、それをラジオで大きく放送したものよ。恐しがってスキイ客が来やしないの。今年はもう乗らないつもりで、去年の暮にスキイも人にくれちゃったのよ。それでも二三度辷（すべ）ったかしら。私変ってない？」

「お師匠さんが死んで、どうしてたんだ。」

「ひとのことなんか、ほっときなさい。二月にはちゃんとここへ来て待ってたわ。」

「港へ帰ったんなら、そうと手紙をよこせばいいじゃないか。」

「いやよ。そんなみじめな、いやよ。奥さんに見られてもいいような手紙なんか書かないわ。み

じめだわ。気兼ねして嘘つくことないわ。」

駒子は早口に叩きつけるような激しさだった。島村はうなずいた。

「あんたそんな虫のなかに坐ってないで、電燈を消すといいわ。」

女の耳の凹凸(おうとつ)もはっきり影をつくるほど月は明るかった。深く射しこんで畳が冷たく青むようであった。

駒子の唇(くちびる)は美しい蛭(ひる)の輪のように滑(なめ)らかであった。

「いや、帰して。」

「相変らずだね。」と、島村は首を反(そ)って、どこかおかしいようで少し中高(なかだか)な円顔を、真近に眺めた。

「十七でここへ来た時とちっとも変らないって、みんなそう言うわ。生活だって、それはおんなじなんですもの。」

北国の少女の頬の赤みがまだ濃く残っている。芸者風な肌理(きめ)に月光が貝殻じみたつやを出した。

「でも、うちは変ったの御存じ?」

「お師匠さんが死んでね?　もうあのお蚕さんの部屋にはいないんだね。今度のうちほんとうの置屋かい?」

「ほんとうの置屋って?　そうね、店で駄菓子や煙草を売ってますわ。やっぱり私一人しかいないの。今度はほんとうの奉公だから、夜晩(おそ)くなると、蠟燭(ろうそく)をともして本を読むわ。」

島村が肩を抱いて笑うと、

「メエトルだから、電気を無駄づかいしちゃ悪いわ。」

「そうかね。」

「でも、これが奉公かしらと思うことがあるくらい、うちの人はずいぶん大事にしてくれるのよ。子供が泣いたりすると、おかみさんが遠慮して表へ負ぶって出て行くわ。なんの不足もないけれど、寝床の曲ってるのだけはいやね。帰りがおそいと敷いといてくれるのよ。敷蒲団(しきぶとん)がきちんと重なってなかったり、敷布がゆがんでたりでしょう。そんなのを見ると、情なくなって来るのよ。そうかって、自分で敷き直すのは悪いわ。親切がありがたいから。」

「君が家を持ったら苦労だね。」

「皆そう言うわ。性分ね。うちに小さい子供が四人あるから散らかって大変なのよ。私はそれを一日かたづけて歩いてるわ。かたづける後から、どうせ散らかすのは分ってるんだけれど、気になってほっとけないんです。境遇の許す範囲で、これでも私、きれいに暮したいとは思ってるんですよ。」

「そうだね。」

「あんた私の気持分る？」

「分るよ。」

「分るなら言ってごらんなさい。さあ、言ってごらんなさい。」と、駒子は突然思い迫った声で

突っかかって来た。

「それごらんなさい。言えやしないじゃないの。嘘ばっかり。あんたは贅沢に暮して、いい加減な人だわ。分りゃしない。」

そうして声を沈ますと、

「悲しいわ。私が馬鹿。あんたもう明日帰んなさい。」

「そう君のように問いつめたって、はっきり言えるもんじゃない。」

「なにが言えないの。あんたそれがいけないのよ。」と、駒子はまだ術なげに声をつまらせたが、じっと目をつぶると自分というものを島村がなんとなく感じていてくれるのだろうかと、それは分ったらしい素振りを見せて、

「一年に一度でいいからいらっしゃいね。私のここにいる間は、一年に一度、きっといらっしゃいね。」

年期は四年だと言った。

「実家へ行く時は、また商売に出るなんて夢にも思わなくて、スキイも人にくれて行っちゃったのに、出来たことと言えば、煙草を止めただけだわ。」

「そうそう、前にはずいぶん吹かしてたね。」

「ええ。お座敷でお客さんのくれるのを、そっと袂へ入れるから、帰ると何本も出て来ることがあるわ。」

「四年はしかし長いね。」

「直ぐ経ってしまいますわ。」

「温い。」と、島村は駒子が近づいて来るままに抱き上げた。

「温いのは生れつきよ。」

「もう朝晩は寒くなっているんだね。」

「私がここへ来てから五年だもの。初めは心細くて、こんなところに住むのかと思ったわ。汽車の開通前は寂しかったなあ。あんたが来はじめてからだって、もう三年だわ。」

その三年足らずの間に三度来たが、その度毎に駒子の境遇の変っていることを、島村は思っていた。

轡虫が急に幾匹も鳴き出した。

「いやねえ。」と、駒子は彼の膝から立ち上った。

北風が来て網戸の蛾が一斉に飛んだ。

黒い眼を薄く開いていると見えるのは濃い睫毛を閉じ合わせたのだと、島村はもう知っていながら、やはり近々とのぞきこんでみた。

「煙草を止めて、太ったわ。」

腹の脂肪が厚くなっていた。

離れていてはとらえ難いものも、こうしてみると忽ちその親しみが還って来る。

駒子はそっと掌を胸へやって、

「片方が大きくなったの。」

「馬鹿。その人の癖だね、一方ばかり。」

「あら。いやだわ。嘘、いやな人。」と、駒子は急に変った。これであったと島村は思い出した。

「両方平均にって、今度からそう言え。」

「平均に？　平均にって言うの？」と、駒子は柔かに顔を寄せた。

この部屋は二階であるが、家のぐるりを蟇が鳴いて廻った。一匹ではなく、二匹も三匹も歩いているらしい。長いこと鳴いていた。

内湯から上って来ると、駒子は安心しきった静かな声でまた身上話をはじめた。

ここで初めての検査の時に、半玉の頃と同じだと思って、胸だけ脱ぐと笑われたこと、それから泣き出してしまったこと、そんなことまで言った。島村に問われるままに、

「私は実に正確なの、二日ずつきちんと早くなって行くの。」

「だけどさ、お座敷へ出るのに困るというようなことはないだろう。」

「ええ、そんなこと分るの？」

温まるので名高い温泉に毎日入っているし、旧温泉と新温泉との間をお座敷通いすれば一里も歩くわけになるし、夜更しも少ない山暮しだから、健康な固太りだけれども、芸者などにありがちの少うし腰窄まりだった。横に狭くて縦に厚い。そのくせ島村が遠く惹かれて来るような女で

あることなのは、哀れ深いものがあった。

「私のようなのは子供が出来ないのかしらね。」と、駒子は生真面目にたずねた。一人の人とつきあってれば、夫婦とおなじではないかと言うのだった。

駒子にそういう人のあるのを島村は初めて知った。十七の年から五年続いていると言う。島村が前から訝しく思っていた、駒子の無知で無警戒なのはそれで分った。

半玉で受け出してくれた人に死に別れて、港へ帰ると直ぐにその話があったためか、駒子は初めから今日までその人が厭で、いつまでも打ちとけられないと言う。

「五年も続けば、上等の方じゃないか。」

「別れる機会は二度もあったのよ。ここで芸者に出る時と、お師匠さんのうちから今のうちへ変る時と。でも、意志が弱いんだわ。ほんとうに意志が弱いんだわ。」

その人は港にいると言う。その町に置くのは都合が悪いので、師匠がこの村へ来るついでに預けてよこしたのだと言う。親切な人だのに、一度も生き身をゆるす気になれないのは、悲しいと言う。年がちがうので、たまにしか来ないと言う。

「どうしたら切れるか、よっぽど不行跡を働こうと時々思うのよ。ほんとうに思うんですよ。」

「不行跡はよくない。」

「不行跡は出来ない。やっぱり性分でだめだわ。私は自分の生きてる体が可愛いわ。しようともえば、四年の年期が二年になるんだけれど、無理をしないの。体が大事だから。無理すれば、

ずいぶん線香が出るだろうな。年期だから、主人に損をかけなければいいのよ。元金が月に割って幾ら、利子が幾ら、税金が幾ら、それに自分の食い扶持を勘定に入れて、分ってるでしょう。それ以上あまり無理して働くこともないわ。面倒臭い座敷でいやなら、さっさと帰っちまうし、おなじみの名指しでなければ、宿でも夜おそくかけてよこさないわ。自分で贅沢する分にはきりがないけれども、気随に稼いでいて、それですむんですもの。もう元金を半分以上返したわ。まだ一年にならないわ。それでもお小遣がなにやかやと月三十円はかかるわね。」

月に百円稼げばいいのだと言った。先月一番少い人で三百本の六十円だと言った。駒子は座敷数が九十幾つで一番多く、一座敷で一本が自分の貰いになるので、主人には損だが、どんどん廻るのだと言った。借金を殖やして年期の延びた人は、この温泉場には一人もないと言った。

翌る朝、駒子はやはり早くて、

「お花のお師匠さんとこのお部屋を掃除している夢を見て、目が覚めちゃったの。」

窓際へ持ち出した鏡台には紅葉の山が写っていた。鏡のなかにも秋の日ざしが明るかった。

駄菓子屋の女の子が駒子の着替えを持って来た。

「駒ちゃん。」と、悲しいほど澄み通る声で襖の陰から呼ぶ、あの葉子ではなかった。

「あの娘さんはどうした。」

駒子はちらっと島村を見て、

「お墓参りばかりしてるわ。スキイ場の裾にほら、蕎麦の畑があるでしょう、白い花の咲いてる。

その左に墓が見えるじゃないの？」

駒子が帰ってから島村も村へ散歩に行ってみた。

白壁の軒下で真新しい朱色のネルの山袴を履いて、女の子がゴム鞠を突いているのは、実に秋であった。

大名が通った頃からであろうと思われる、古風な作りの家が多い。庇が深い。二階の窓障子は高さ一尺ぐらいしかなくて長細い。軒端に萱の簾を垂れている。

土坡の上に糸薄を植えた垣があった。糸薄は桑染色の花盛りであった。その細い葉が一株ずつ美しく噴水のような形に拡がっていた。

そうして道端の日向に藁莚を敷いて小豆を打っているのは葉子だった。

乾いた豆幹から小豆が小粒の光のように躍り出る。

手拭をかぶっているので島村が見えないのか、葉子は山袴の膝頭を開いて小豆を叩きながら、あの悲しいほど澄み通って木魂しそうな声で歌っていた。

蝶々とんぼやきりぎりす
お山でさえずる
松虫鈴虫くつわ虫

杉の樹をつと離れた、夕風のなかの烏が大きい、という歌があるが、この窓から見下す杉林の前には、今日も蜻蛉の群が流れている。夕が近づくにつれ、彼等の游泳はあわただしく速力を早めて来るようだった。

島村は出発の前に駅の売店でここらあたりの山案内書の新刊を見つけて買って来た。それをとりとめなく読んでいると、この部屋から見晴らす国境の山々、その一つの頂近くは、美しい池沼を縫う小路で、一帯の湿地にいろんな高山植物が花咲き乱れ、夏ならば無心に赤蜻蛉が飛び、帽子や人の手や、また時には眼鏡の縁にさえとまるのどかさ、都会の蜻蛉とは雲泥の差であると書いてあった。

しかし目の前の蜻蛉の群は、なにか追いつめられたもののように見える。暮れるに先立って黒ずむ杉林の色にその姿を消されまいとあせっているもののように見える。

遠い山は西日を受けると、峰から紅葉して来ているのがはっきり分った。

「人間なんて脆いもんね。頭から骨まで、すっかりぐしゃぐしゃにつぶれてたんですって。熊なんか、もっと高い岩棚から落ちたって、体はちっとも傷がつかないそうよ。」と、今朝駒子が言ったのを島村は思い出した。岩場でまた遭難があったという、その山を指さしながらであった。

熊のように硬く厚い毛皮ならば、人間の官能はよほどちがったものであったにちがいない。人

間は薄く滑らかな皮膚を愛し合っているのだ。そんなことを思って夕日の山を眺めていると島村は感傷的に人肌がなつかしくなって来た。

「蝶々とんぼやきりぎりす……。」というあの歌を、早い夕飯時に下手な三味線で歌っている芸者があった。

山の案内書には、登路、日程、宿泊所、費用などが、簡単に書いてあるだけで、反って空想を自由にしたし、島村が初めて駒子を知ったのも、残雪の肌に新緑の萌える山を歩いて、この温泉村へ下りて来た時のことだったし、自分の足跡も残っている山を、こうして眺めていると、今は秋の登山の季節であるから、山に心が誘われて行くのだった。無為徒食の彼には、用もないのに難儀して山を歩くなど徒労の見本のように思われるのだったが、それゆえにまた非現実的な魅力もあった。

遠く離れていると、駒子のことがしきりに思われるにかかわらず、さて近くに来てみると、なにか安心してしまうのか、今はもう彼女の肉体も親し過ぎるのか、人肌がなつかしい思いと、山に誘われる思いとは、同じ夢のように感じられるのだった。昨夜駒子が泊って行ったばかりだからでもあろう。しかし静かななかに一人坐っていては、呼ばなくても駒子は来そうなものだと、心待ちするよりしかたがなかったが、ハイキングの女学生達の若々しく騒ぐ声が聞えているうちに眠ろうと思って、島村は早くから寝た。

やがて時雨が通るらしかった。

翌る朝目をあくと、駒子が机の前にきちんと坐って本を読んでいた。羽織も銘仙の不断着だった。

「目が覚めた？」と、彼女は静かに言って、こちらを見た。

「どうしたんだい。」

「目が覚めた？」

知らぬ間に来て泊っていたのかと疑って、島村が自分の寝床を見廻しながら、枕もとの時計を拾うと、まだ六時半だった。

「早いんだね。」

「だって、女中さんがもう火を入れに来たわよ。」

鉄瓶は朝らしい湯気を立てていた。

「起きなさいよ。」と、駒子は立って来て、彼の枕もとに坐った。ひどく家庭の女めいた素振りであった。島村は伸びをしたついでに、女の膝の上の手をつかんで小さい指の撥胼胝を弄びながら、

「眠いよ。夜があけたばかりじゃないか。」

「一人でよく眠れた？」

「ああ。」

「あんた、やっぱり髭をお伸しにならなかったのね。」

「そうそう、この前別れる時、そんなこと言ってたね、髭を生やせって。」

「どうせ忘れてたって、いいわよ。いつも青々ときれいに剃ってらっしゃるのね。」

「君だって、いつでも白粉を落すと、今剃刀をあてたばかりという顔だよ。」

「頬っぺたが、またお太りになったんじゃないかしら。色が白くて、眠ってらっしゃるところは髭がないと変だわ。円いわ。」

「柔和でいいだろう。」

「頼りないわ。」

「いやだね。じろじろ見てたんだね。」

「そう。」と、駒子はにっこりうなずいてその微笑から急に火がついたように笑い出すと、知らず識らず彼の指を握る手にまで力が入って、

「押入に、隠れたのよ。女中さんちっとも気がつかないで。」

「いつさ。いつから隠れてたんだ。」

「今じゃないの？　女中さんが火を持って来た時よ。」

そして思い出し笑いが止まらぬ風だったが、ふと耳の根まで赤らめると、それを紛らわすように掛蒲団の端を持って煽ぎながら、

「起きなさい。起きて頂戴。」

「寒いよ。」と、島村は蒲団を抱えこんで、

「宿じゃもう起きてるのかい。」

「知らないわ。裏から上って来たのよ。」

「裏から？」

「杉林のところから掻き登って来たのよ。」

「そんな路があるの？」

「路はないけれど、近いわ。」

　島村は驚いて駒子を見た。

「私が来たのを誰も知らないわ。お勝手に音がしてたけれど、玄関はまだしまってるんでしょう。」

「君はまた早起きなんだね。」

「昨夜眠れなかったのよ。」

「時雨があったの知ってる？」

「そう？　あすこの熊笹が濡れてたの、それでなのね。帰るわね。もう一寝入り、お休みなさいね。」

「起きるよ。」と、島村は女の手を握ったまま、勢いよく寝床を出た。そのまま窓へ行って、女が掻き登って来たというあたりを見下すと、灌木類の茂りの裾に熊笹が猛々しく拡がっていた。それは杉林に続く丘の中腹で、窓の直ぐ下の畑には、大根、薩摩芋、葱、里芋など、平凡な野菜ながら朝の日を受けて、それぞれの葉の色のちがいが初めて見るような気持であった。

湯殿へ行く廊下から、番頭が泉水の緋鯉に餌を投げていた。

「寒くなったとみえて、食いが悪くなりました。」と、番頭は島村に言って、蚕の蛹を干し砕いた餌が水に浮んでいるのを、しばらく眺めていた。

駒子は清潔に坐っていて、湯から上って来た島村に、

「こんな静かなところで、裁縫してたら。」

部屋は掃除したばかりで、少し古びた畳に秋の朝日が深く差しこんでいた。

「裁縫が出来るのか。」

「失礼ね。きょうだいじゅうで、一番苦労したわ。考えてみると、私の大きくなる頃が、ちょうどうちの苦しい時だったらしいわ。」と、ひとりごとのようだったが、急に声をはずませて、

「駒ちゃんいつ来たって、女中さんが変な顔してたわ。二度も三度も押入に隠れることは出来ないし、困っちゃった。帰るわね。いそがしいのよ。眠れなかったから、髪を洗おうと思ったの。朝早く洗っとかないと、乾くのを待って、髪結いさんへ行って、昼の宴会の間に合わないのよ。ここにも宴会があるけれど、昨夜になってしらせてよこすんだもの。よそを受けちゃった後で、来れやしない。土曜日だから、とてもいそがしいのよ。遊びに来れないわ。」

そんなことを言いながら、しかし駒子は立ち上りそうもなかった。

髪を洗うのは止めにして、島村を裏庭へ誘い出した。さっきそこから忍んで来たのか、渡廊下の下に駒子の濡れた下駄と足袋があった。

彼女が掻き登ったという熊笹は通れそうもないので、畑沿いに水音の方へ下りて行くと、川岸は深い崖になっていて、栗の木の上から子供の声が聞えた。足もとの草のなかにも毬が幾つも落ちていた。駒子は下駄で踏みにじって、実を剝き出した。みんな小粒の栗だった。

向岸の急傾斜の山腹には萱の穂が一面に咲き揃って、眩しい銀色に揺れていた。眩しい色と言っても、それは秋空を飛んでいる透明な儚さのようであった。

「あすこへ行ってみようか、君のいいなずけの墓が見える。」

駒子はすっと伸び上って島村をまともに見ると、一握りの栗をいきなり彼の顔に投げつけて、

「あんた私を馬鹿にしてんのね。」

島村は避ける間もなかった。額に音がして、痛かった。

「なんの因縁があって、あんた墓を見物するのよ。」

「なにをそう向きになるんだ。」

「あれだって、私には真面目なことだったんだわ。あんたみたいに贅沢な気持で生きてる人とちがうわ。」

「誰が贅沢な気持で生きてるもんか。」と、彼は力なく呟いた。

「じゃあ、なぜいいなずけなんて言うの？　いいなずけでないってことは、この前よく話したじゃないの？　忘れてんのね。」

島村は忘れていたわけではない。

「お師匠さんがね、息子さんと私といっしょになればいいと、思った時があったかもしれないの。心のなかだけのことで、口には一度も出しゃしませんけれどね。そういうお師匠さんの心のうちは、息子さんも私も薄々知ってたの。だけど、二人は別になんでもなかった。別れ別れに暮して来たのよ。東京へ売られて行く時、あの人がたった一人見送ってくれた。」

駒子がそう言ったのを覚えている。

その男が危篤だというのに、彼女は島村のところへ泊って、

「私の好きなようにするのを、死んで行く人がどうして止められるの？」と、身を投げ出すように言ったこともあった。

まして、駒子がちょうど島村を駅へ見送っていた時に、病人の様子が変ったと、葉子が迎えに来たにかかわらず、駒子は断じて帰らなかったために、死目にも会えなかったらしいということもあったので、尚更島村はその行男という男が心に残っていた。

駒子はいつも行男の話を避けたがる。いいなずけではなかったにしても、彼の療養費を稼ぐために、ここで芸者に出たというのだから、「真面目なこと」だったにちがいない。

栗をぶっつけられても、腹を立てる風がないので、駒子は束の間訝しそうであったが、ふいと折れ崩れるように縋って来て、

「ねえ、あんた素直な人ね。なにか悲しいんでしょう。」

「木の上で子供が見てるよ。」

「分らないわ、東京の人は複雑で。あたりが騒々しいから、気が散るのね。」

「なにもかも散っちゃってるよ。」

「今に命まで散らすわよ。墓を見に行きましょうか。」

「そうだね。」

「それごらんなさい。墓なんかちっとも見たくないんじゃないの？」

「君の方でこだわってるだけだよ。」

「私は一度も参ったことがないから、こだわるのよ、ほんとうよ、一度も。今はお師匠さんもいっしょに埋まってるんですから、お師匠さんにはすまないと思うけれど、今更参れやしない。そんなことしらじらしいわ。」

「君の方がよっぽど複雑だね。」

「どうして？　生きた相手だと、思うようにはっきりも出来ないから、せめて死んだ人にははっきりしとくのよ。」

　静けさが冷たい滴（しずく）となって落ちそうな杉林を抜けて、スキイ場の裾を線路伝いに行くと、直ぐに墓場だった。田の畦（あぜ）の小高い一角に、古びた石碑が十ばかりと地蔵が立っているだけだった。貧しげな裸だった。花はなかった。

　しかし、地蔵の裏の低い木蔭（こかげ）から、不意に葉子の胸が浮び上った。彼女もとっさに仮面じみた例の真剣な顔をして、刺すように燃える目でこちらを見た。島村にこくんとおじぎをするとその

ま立ち止まった。

「葉子さん早いのね。髪結いさんへ私……。」と、駒子が言いかかった時だった。どっと真黒な突風に吹き飛ばされたように、彼女も島村も身を竦めた。

貨物列車が真近を通ったのだ。

「姉さあん。」と呼ぶ声が、その荒々しい響きのなかを流れて来た。黒い貨車の扉から、少年が帽子を振っていた。

「佐一郎う、佐一郎う。」と、葉子が呼んだ。

雪の信号所で駅長を呼んだ、あの声である。聞えもせぬ遠い船の人を呼ぶような、悲しいほど美しい声であった。

貨物列車が通ってしまうと、目隠しを取ったように、線路向うの蕎麦の花が鮮かに見えた。赤い茎の上に咲き揃って実に静かであった。

思いがけなく葉子に会ったので、二人は汽車の来るのも気がつかなかったほどだったが、そのようなにかも、貨物列車が吹き払って行ってしまった。

そして後には、車輪の音よりも葉子の声の余韻が残っていそうだった。純潔な愛情の木魂が返って来そうだった。

葉子は汽車を見送って、

「弟が乗っていたから、駅へ行ってみようかしら。」

「だって、汽車は駅に待ってやしないわ。」と、駒子が笑った。

「そうね。」

「私ね、行男さんのお墓参りはしないことよ。」

葉子はうなずいて、ちょっとためらっていたが、墓の前にしゃがんで手を合わせた。

駒子は突っ立ったままであった。

島村は目をそらして地蔵を見た。長い顔の三面で、胸で合掌した一組の腕のほかに、右と左に二本ずつの手があった。

「髪を結うのよ。」と、駒子は葉子に言って、畦路を村の方へ行った。

土地の言葉でハッテという、樹木の幹から幹へ、竹や木の棒を物干竿のような工合に幾段も結びつけて、稲を懸けて干す、そして稲の高い屏風を立てたように見えるのだが——島村達が通る路ばたにも、百姓がそのハッテを作っていた。

山袴の腰をひょいと捻って、娘が稲の束を投げ上げると、高くのぼった男が器用に受け取って、扱くように振り分けては、竿に懸けていった。物慣れて無心の動きが調子よく繰り返されていた。

ハッテの垂れ穂を、貴いものの目方を計るように駒子は掌に受けて、ゆさゆさ揺り上げながら、

「いい実り、触っても気持のいい稲だわ。去年とは大変なちがいだわ。」と、稲の感触を楽しむように目を細めた。その上の空低く群雀が乱れ飛んだ。

「田植人夫賃金協定。九十銭、一日賃金賄附。女人夫は右の六分。」というような古い貼紙が道

端の壁に残っていた。

　葉子の家にもハッテがあった。街道から少し凹んだ畑の奥に建っているのだが、その庭の左手、隣家の白壁沿いの柿の並木に、高いハッテが組んであった。そしてまた畑と庭との境にも、つまり柿の木のハッテとは直角に、やはりハッテで、その稲の下をくぐる入口が片端に出来ていた。莚ならぬ稲で、ちょうど小屋掛けしたようである。畑は闌れたダリヤと薔薇の手前に里芋が逞しい葉を拡げていた。緋鯉の蓮池はハッテの向うで見えない。

　去年駒子がいたあの蚕の部屋の窓も隠れていた。

　葉子は怒ったように頭を下げると、稲穂の入口を帰って行った。

「この家に一人でいるのかい。」と、島村はその少し前屈みの後姿を見送っていたが、

「そうでもないでしょう。」と、駒子は突慳貪に言った。

「ああ厭だ。もう髪を結うの止めた。あんたがよけいなこと言うから、あの人の墓参りを邪魔しちゃった。」

「墓で会いたくないって、君の意地っ張りだろう。」

「あんたが私の気持を分らないのよ。後で暇があったら、髪を洗いに行きますわ。晩くなるかもしれないけれど、きっと行くわ。」

　そして夜なかの三時であった。

　障子を押し飛ばすようにあける音で島村が目を覚ますと、胸の上へばったり駒子が長く倒れて、

「来ると言ったら、来たでしょ。ねえ、来ると言ったら来たでしょ。」と、腹まで波打つ荒い息をした。

「ひどく酔ってんだね。」

「ねえ、来ると言ったら来たでしょ。」

「ああ、来たよ。」

「ここへ来る道、見えん。見えん。ふう、苦しい。」

「それでよく坂が登れたね。」

「知らん。もう知らん。」と、駒子はうんと仰反って転がるものだから、島村は重苦しくなって起き上ろうとしたが、不意に起されたことゆえふらついて、また倒れると、頭が熱いものに載って驚いた。

「火みたいじゃないか、馬鹿だね。」

「そう？　火の枕、火傷するよ。」

「ほんとだ。」と、目を閉じているとその熱が頭に沁み渡って、島村はじかに生きている思いがするのだった。駒子の激しい呼吸につれて、現実というものが伝わって来た。それはなつかしい悔恨に似て、ただもう安らかになにかの復讐を待つ心のようであった。

「来ると言ったら来たでしょ。」と、駒子はそれを一心に繰り返して、

「これで来たから、帰る。髪を洗うのよ。」

そして這い上ると、水をごくごく飲んだ。

「そんなんで帰れやしないよ。」

「帰る。連れがあんのよ。お湯道具、どこへ行った。」

島村が立ち上って電燈をつけると、駒子は両手で顔を隠して畳に突っ伏してしまった。

「いやよ。」

元禄袖の派手なめりんすの袷に黒襟のかかった寝間着で伊達巻をしめていた。それで襦袢の襟が見えず、素足の縁まで酔いが出て、隠れるように身を縮めているのは変に可愛く見えた。

湯道具を投げ出したとみえ、石鹼や櫛が散らばっていた。

「切ってよ、鋏持って来たから。」

「なにを切るんだ。」

「これをね。」と、駒子は髪のうしろへ手をやって、

「うちで元結を切ろうとしたんだけれど、手が言うことをきかないのよ。ここへ寄って切って貰おうと思って。」

島村は女の髪を搔き分けて元結を切った。ひとところが切れる度に、駒子は髪を振り落しながら少し落ちついて、

「今幾時頃なの。」

「もう三時だよ。」

「あら、そんな？　地髪を切っちゃ駄目よ。」

「ずいぶん幾つも縛ってるんだね。」

彼の掴(つか)み取る髱(かもじ)の根の方がむっと温(あたた)かった。

「もう三時なの？　座敷から帰って、倒れたまま眠ったらしいわ。お友達と約束しといたから誘ってくれたのよ。どこへ行ったかと思ってるわ。」

「待ってるのか。」

「共同湯に入ってるわ、三人。六座敷あったんだけれど四座敷しか廻れなかった。来週は紅葉でいそがしいわ。どうもありがとう。」と、解けた髪を梳(す)きながら顔を上げると、眩しそうに含み笑いをして、

「知らないわ、ふふふ、可笑(おか)しいな。」

そして術(じゅつ)なげに髱を拾った。

「お友達に悪いから行くわね。帰りにはもう寄らないわ。」

「道が見えるか。」

「見える。」

しかし裾を踏んでよろめいた。

朝の六時と夜なかの三時と、一日に二度も異常な時間に暇を盗んで来たのだと思うと、島村はただならぬものが感じられた。

紅葉を門松のように、宿の番頭達が門口へ飾りつけていた。観楓客の歓迎である。

生意気な口調で指図しているのは、渡り鳥でさと自ら嘲るように言う臨時雇いの番頭だった。新緑から紅葉までの間を、ここらあたりの山の湯で働き、冬は熱海や長岡などの伊豆の温泉場へ稼ぎに行く、そういう男の一人である。毎年同じ宿に働くとは限らない。彼は伊豆の繁華な温泉場の経験を振り廻して、ここらの客扱いの陰口ばかりきいていた。揉手しながらしつっこく客を引くが、いかにも誠意のない物乞いじみた人相が現われていた。

「旦那、あけびの実を御存じですか。召し上るなら取って参りますよ。」と、散歩帰りの島村に言って、彼はその実を蔓のまま紅葉の枝に結びつけた。

紅葉は山から伐って来たらしく軒端につかえる高さ、玄関がぱっと明るむように色あざやかなくれないで、一つ一つの葉も驚くばかり大きかった。

島村はあけびの冷たい実を握ってみながら、ふと帳場の方を見ると、葉子が炉端に坐っていた。おかみさんが銅壺で燗の番をしている。葉子はそれと向い合って、なにか言われる度にはっきりうなずいていた。山袴も羽織もなしに、洗い張りしたばかりのような銘仙を着ていた。

「手伝いの人？」と、島村がなにげなく番頭に訊くと、

「はあ、お陰さまで、人手が足りないもんでございますから。」

「君と同じだね。」

「へえ。しかし、村の娘で、なかなか一風変っておりますな。」

葉子は勝手働きをしているとみえ、今まで客座敷へは出ないようだった。客がたてこむと、炊事場の女中達の声も大きくなるのだが、葉子のあの美しい声は聞えなかった。島村の部屋を受け持つ女中の話では、葉子は寝る前に湯槽のなかで歌を歌う癖があるということだったが、彼はそれも聞かなかった。

しかし葉子がこの家にいるのだと思うと、島村は駒子を呼ぶことにもなぜかこだわりを感じた。駒子の愛情は彼に向けられたものであるにもかかわらず、それを美しい徒労であるかのように思う彼自身の虚しさがあって、けれども反ってそれにつれて、駒子の生きようとしている命が裸の肌のように触れて来もするのだった。彼は駒子を哀れみながら、自らを哀れんだ。そのようなありさまを無心に刺し透す光に似た目が、葉子にありそうな気がして、島村はこの女にも惹かれるのだった。

島村が呼ばなくとも駒子は無論しげしげと来た。

渓流の奥の紅葉を見に行くので、彼は駒子の家の前を通ったことがあったが、その時彼女は車の音を聞きつけて、今のは島村にちがいないと表へ飛び出てみたのに、彼はうしろを振り返りもしなかったのは薄情者だと言ったほどだから、彼女は宿へ呼ばれさえすれば、島村の部屋へ寄ら

ぬことはなかった。湯に行くにも道寄りした。宴会があると一時間も早く来て、女中が呼ぶまで彼のところで遊んでいた。座敷をよく抜け出して来ては、鏡台で顔を直して、

「これから働きに行くの、商売気があるから。さあ、商売、商売。」と、立って行った。

撥入れだとか、羽織だとか、なにかしら持って来たものを、彼の部屋へ置いて帰りたがった。

「昨夜帰ったら、お湯が沸いてないの。お勝手をごそごそやって、朝の味噌汁の残りを掛けて、梅干で食べたのよ。冷たあい。今朝うちで起してくれないのよ。目が覚めてみたら十時半、七時に起きて来ようと思ってたのに、駄目になったわ。」

そんなことや、どの宿からどの宿へ行ったという、座敷の模様をあれこれと報告するのだった。

「また来るわね。」と、水を飲んで立ち上りながら、

「もう来んかもしれないわ。だって三十人のところへ三人だもの、忙しくて抜けられないの。」

しかし、また間もなく来て、

「つらいわ。三十人の相手に三人しかいないの。それが一番年寄と一番若い子だから、私がつらいわ。けちな客、きっとなんとか旅行会だわ。三十人なら少くとも六人はいなければね。飲んでおどかして来るわね。」

毎日がこんな風では、どうなってゆくことかと、さすがに駒子は身も心も隠したいようであったが、そのどこか孤独の趣きは、反って風情を艶めかすばかりだった。

「廊下が鳴るので恥かしいわ。そっと歩いても分るのね。お勝手の横を通ると、駒ちゃん椿の間

かって、笑うんですよ。こんな気兼ねをするようになろうとは思わなかった。」

「土地が狭いから困るだろう。」

「もうみんな知ってるわよ。」

「そりゃいかんね。」

「そうね。ちょっと悪い評判が立てば、狭い土地はおしまいね。」と言ったが、直ぐ顔を上げて微笑むと、

「ううん、いいのよ。私達はどこへ行ったって働けるから。」

その素直な実感の籠った調子は、親譲りの財産で徒食する島村にはひどく意外だった。

「ほんとうよ。どこで稼ぐのもおんなじよ。くよくよすることない。」

なにげない口振りなのだが、島村は女の響きを聞いた。

「それでいいのよ。ほんとうに人を好きになれるのは、もう女だけなんですから。」と、駒子は少し顔を赤らめてうつ向いた。

襟を透かしているので、背から肩へ白い扇を拡げたようだ。その白粉の濃い肉はなんだか悲しく盛り上って、毛織物じみて見え、また動物じみて見えた。

「今の世のなかではね。」と、島村は呟いて、その言葉の空々しいのに冷っとした。

しかし駒子は単純に、

「いつだってそうよ。」

そして顔を上げると、ぼんやり言い足した。

「あんたそれを知らないの？」

背に吸いついている赤い肌襦袢が隠れた。

ヴァレリイやアラン、それからまたロシア舞踊の花やかだった頃のフランス文人達の舞踊論を、島村は翻訳しているのだった。小部数の贅沢本として自費出版するつもりである。今の日本の舞踊界になんの役にも立ちそうでない本であることが、反って彼を安心させると言えば言える。自分の仕事によって自分を冷笑することは、甘ったれた楽しみなのだろう。そんなところから彼の哀れな夢幻の世界が生れるのかもしれぬ。旅にまで出て急ぐ必要はさらさらない。

彼は昆虫どもの悶死するありさまを、つぶさに観察していた。

秋が冷えるにつれて、彼の部屋の畳の上で死んでゆく虫も日毎にあったのだ。翼の堅い虫はひっくりかえると、もう起き直れなかった。蜂は少し歩いて転び、また歩いて倒れた。季節の移るように自然と亡びてゆく、静かな死であったけれども、近づいて見ると脚や触覚を顫わせて悶えているのだった。それらの小さい死の場所として、八畳の畳はたいへん広いもののように眺められた。

島村は死骸を捨てようとして指で拾いながら、家に残して来た子供達をふと思い出すこともあった。

窓の金網にいつまでもとまっていると思うと、それは死んでいて、枯葉のように散ってゆく蛾

もあった。壁から落ちて来るのもあった。手に取ってみては、なぜこんなに美しく出来ているのだろうと、島村は思った。

その虫除けの金網も取りはずされた。虫の声がめっきり寂れた。

国境の山々は赤錆色が深まって、夕日を受けると少し冷たい鉱石のように鈍く光り、宿は紅葉の客の盛りであった。

「今日は来れないわよ、多分。地の人の宴会だから。」と、その夜も駒子は島村の部屋へ寄って行くと、やがて大広間に太鼓が入って女の金切声も聞えて来たが、その騒々しさの最中に思いがけない近くから、澄み通った声で、

「御免下さい、御免下さい。」と、葉子が呼んでいた。

「あの、駒ちゃんがこれよこしました。」

葉子は立ったまま郵便配達のような恰好に手を突き出したが、あわてて膝を突いた。島村がその結び文を拡げていると、葉子はもういなくなった。なにを言う間もなかった。

「今とっても朗らかに騒いでます酒のんで。」と、懐紙に酔った字で書いてあるだけだった。

しかし十分と経たぬうちに、駒子が乱れた足音で入って来て、

「今あの子がなにか持って来た？」

「来たよ。」

「そう？」と、上機嫌に片目を細めながら、

「ふう、いい気持。お酒を註文しに行く、そう言って、そうっと抜けて来た。番頭さんに見つかって叱られた。お酒はいい、叱られても、足音が気にならん。ああ、いやだわ。ここへ来ると、急に酔いが出る。これから働きに行くの。」

「指の先までいい色だよ。」

「さあ、商売。あの子なんて言った？　恐しいやきもち焼きなの、知ってる？」

「誰が？」

「殺されちゃいますよ。」

「あの娘さんも手伝ってるんだね。」

「お銚子を運んで来て、廊下の蔭に立って、じいっと見てんのよ、きらきら目を光らして。あんたああいう目が好きなんでしょう。」

「あさましいありさまだと思って見てたんだよ。」

「だから、これ持ってらっしゃいって、書いてよこしたんだわ。水飲みたい、水頂戴。どっちがあさましいか、女は口説き落してみないことには、分らないわよ。私酔ってる？」と、倒れるように鏡台の両端をつかまえて覗きこむと、しゃんと裾を捌いて出て行った。

やがて宴会も終ったらしく、急にひっそりして、瀬戸物の音が遠く聞えたりするので、駒子も客に連れられて別の宿の二次会へ廻ったのかと思っていると、葉子がまた駒子の結び文を持って来た。

「山風館やめにしましたこれから梅の間帰りによりますおやすみ」

島村は少し恥ずかしそうに苦笑して、

「どうもありがとう。手伝いに来てるの？」

「ええ。」と、うなずくはずみに、葉子はあの刺すように美しい目で、島村をちらっと見た。島村はなにか狼狽（ろうばい）した。

これまで幾度も見かける度毎（たびごと）に、いつも感動的な印象を残している、この娘がなにごともなくこうして彼の前に坐っているのは、妙に不安であった。彼女の真剣過ぎる素振りは、いつも異常な事件の真中にいるという風に見えるのだった。

「いそがしそうだね。」

「ええ。でも、私はなんにも出来ません。」

「君にはずいぶん度々会ったな。初めはあの人を介抱して帰る汽車のなかで、駅長に弟さんのことを頼んでたの、覚えてる？」

「ええ。」

「寝る前にお湯のなかで歌を歌うんだって？」

「あら、お行儀の悪い、いやだわ。」と、その声が驚くほど美しかった。

「君のことはなにもかも知ってるような気がするね。」

「そうですか。駒ちゃんにお聞きになったんですか。」

「あの人はしゃべりゃしない。君の話をするのをいやがるくらいだよ。」

「そうですか。」と、葉子はそっと横を向いて、

「駒ちゃんはいいんですけれども、可哀想なんですから、よくしてあげて下さい。」

早口に言う、その声が終りの方は微かに顫えた。

「しかし僕には、なんにもしてやれないんだよ。」

葉子は今に体まで顫えて来そうに見えた。危険な輝きが迫って来るような顔から島村は目をそらせて笑いながら、

「早く東京へ帰った方がいいかもしれないんだけれどもね。」

「私も東京へ行きますわ。」

「いつ？」

「いつでもいいんですの。」

「それじゃ、帰る時連れて行ってあげようか。」

「ええ、連れて帰って下さい。」と、こともなげに、しかし真剣な声で言うので、島村は驚いた。

「君のうちの人がよければね。」

「うちの人って、鉄道へ出ている弟一人ですから、私がきめちゃっていいんです。」

「東京になんかあてがあるの？」

「いいえ。」

「あの人に相談した？」

「駒ちゃんですか。駒ちゃんは憎いから言わないんです。」

そう言って、気のゆるみか、少し濡れた目で彼を見上げた葉子に、島村は奇怪な魅力を感じると、どうしてか反って、駒子に対する愛情が荒々しく燃えて来るようであった。為体の知れない娘と駈落ちのように帰ってしまうことは、駒子への激しい謝罪の方法であるかとも思われた。またなにかしら刑罰のようでもあった。

「君はそんな、男の人と行ってこわくはないのかい。」

「どうしてですか。」

「君が東京でさしずめ落ちつく先きとか、なにをしたいとかいうことくらいきまってないと危いじゃないか。」

「女一人くらいどうにでもなりますわ。」と、葉子は言葉尻が美しく吊り上るように言って、島村を見つめたまま、

「女中に使っていただけませんの？」

「なあんだ、女中にか？」

「女中はいやなんです。」

「この前東京にいた時は、なにをしてたんだ。」

「看護婦です。」

「病院か学校に入ってたの。」

「いいえ、ただなりたいと思っただけですわ。」

島村はまた汽車のなかで師匠の息子を介抱していた葉子の姿を思い出して、あの真剣さのうちには葉子の志望も現われていたのかと微笑まれた。

「それじゃ今度も看護婦の勉強がしたいんだね。」

「看護婦にはもうなりません。」

「そんな根なしじゃいけないね。」

「あら、根なんて、いやだわ。」と、葉子は弾き返すように笑った。

その笑い声も悲しいほど高く澄んでいるので、白痴じみては聞えなかった。しかし島村の心の殻を空しく叩いて消えてゆく。

「なにがおかしいんだ。」

「だって、私は一人の人しか看病しないんです。」

「え？」

「もう出来ませんの。」

「そうか。」と、島村はまた不意打ちを食わされて静かに言った。

「毎日君は蕎麦畑の下の墓にばかり参ってるそうだね。」

「ええ。」

「一生のうちに、外の病人を世話することも、外の人の墓に参ることも、もうないと思ってるのか？」

「ないわ。」

「それに墓を離れて、よく東京へ行けるね？」

「あら、すみません。連れて行って下さい。」

「君は恐しいやきもち焼きだって、駒子が言ってたよ。あの人は駒子のいいなずけじゃなかったの？」

「行男さんの？　嘘、嘘ですよ。」

「駒子が憎いって、どういうわけだ。」

「駒ちゃん？」と、そこにいる人を呼ぶかのように言って、葉子は島村をきらきら睨んだ。

「駒ちゃんをよくしてあげて下さい。」

「僕はなんにもしてやれないんだよ。」

葉子の目頭に涙が溢れて来ると、畳に落ちていた小さい蛾を掴んで泣きじゃくりながら、

「駒ちゃんは私が気ちがいになると言うんです。」と、ふっと部屋を出て行ってしまった。

島村は寒気がした。

葉子の殺した蛾を捨てようとして窓をあけると、酔った駒子が客を追いつめるような中腰になって拳を打っているのが見えた。空は曇っていた。島村は内湯に行った。

隣りの女湯へ葉子が宿の子をつれて入って来た。

着物を脱がせたり、洗ってやったりするのが、いかにも親切なものいいで、初々しい母の甘い声を聞くように好もしかった。

そしてあの声で歌い出した。

…………

…………

裏へ出て見たれば
梨の樹が三本
杉の樹が三本
みんなで六本
下から烏が
巣をかける
上から雀が
巣をかける
森の中の螽蟖
どういうて囀るや

お杉友達墓参り
墓参り一丁一丁一丁や

手鞠歌の幼い早口で生き生きとはずんだ調子は、ついさっきの葉子など夢かと島村に思わせた。

葉子が絶え間なく子供にしゃべり立てて上ってからも、その声が笛の音のようにまだそこらに残っていそうで、黒光りに古びた玄関の板敷きに片寄せてある、桐の三味線箱の秋の夜更らしい静まりにも、島村はなんとなく心惹かれて、持主の芸者の名を読んでいると、食器を洗う音の方から駒子が来た。

「なに見てんの？」

「この人泊りかい？」

「誰。ああ、これ？　馬鹿ねえ、あんた、そんなものいちいち持って歩けやしないじゃないの。幾日も置きっ放しにしとくことがあるのよ。」と笑ったはずみに、苦しい息を吐きながら目をつぶると、褄を放して島村によろけかかった。

「ねえ、送って頂戴。」

「帰ることないじゃないか。」

「だめ、だめ、帰る。地の人の宴会で、みんな二次会へついて行ったのに、私だけ残ったのよ。ここにお座敷があったからいいようなものの、お友達が帰りにお湯へでも誘ってくれて、私が家

にいなかったら、あんまりだわ。」

　したたか酔ってるのに、駒子は険しい坂をしゃんしゃん歩いた。

「あの子をあんた泣かしたのね。」

「そう言えば、確かに少し気ちがいじみてるね。」

「人のことをそんな風に見て、面白いの？」

「君が言ったんじゃないか、気ちがいになりそうだって、君に言われたのを思い出すと、くやしくて泣き出したらしかったよ。」

「それならいいわ。」

「ものの十分もたたぬうちに、お湯に入っていい声で歌ってるんだ。」

「お湯のなかで歌を歌うのは、あの子の癖なのよ。」

「君のことをよくしてあげて下さいって、真剣に頼むんだ。」

「馬鹿ねえ。だけど、そんなこと、あなた私に吹聴なさらなくってもいいじゃないの。」

「吹聴？　君はあの娘のことになると、どうしてだか知らないが妙に意地を張るんだね。」

「あんたあの子が欲しいの？」

「それ、そういうことを言う。」

「じょうだんじゃないのよ。あの子を見てると、行末私のつらい荷物になりそうな気がするの。なんとなくそうなの。あんただって仮りにあの子が好きだとして、あの子のことよく見てごらん

なさい。きっとそうお思いになってよ。」と、駒子は島村の肩に手をかけてしなだれて来たが、突然首を振ると、

「ちがう。あんたみたいな人の手にかかったら、あの子は気ちがいにならずにすむかもしれないわ。私の荷を持って行っちゃってくれない？」

「いい加減にしろよ。」

「酔って管を巻いてると思ってらっしゃるわ？　あの子があんたの傍で可愛がられてると思って、私はこの山のなかで身を持ち崩（くず）すの。しいんといい気持。」

「おい。」

「ほっといて頂戴。」と、小走りに逃げて雨戸にどんとぶっつかると、そこは駒子の家だった。

「もう帰らないと思ってるんだ。」

「ううん、あくのよ。」

枯れ切った音のする戸の裾を抱き上げるように引いて、駒子は囁（ささや）いた。

「寄って行って。」

「だって今頃。」

「もう家の人は寝ちゃってますわ。」

島村はさすがにしりごみした。

「それじゃ私が送って行きます。」

「いいよもう。」

「いけない。今度の私の部屋まだ見ないじゃないの。」

勝手口へ入ると、目の前に家の人達の寝姿が乱れていた。ここらあたりの山袴のような木綿の、それも色褪せた固い蒲団を並べて、主人夫婦と十七八の娘を頭に五六人の子供が薄茶けた明りの下に、思い思いの方に顔を向けて眠っているのは、侘しいうちにも逞しい力が籠っていた。

島村は寝息の温みに押し返されるように、思わず表へ出ようとしたけれども、駒子がうしろの戸をがたぴししめて、足音の遠慮もなく板の間を踏んで行くので、島村も子供の枕もとを忍ぶように通り抜けると、怪しい快感で胸が顫えた。

「ここで待ってて。二階の明りをつけますから。」

「いいよ。」と、島村は真暗な梯子段を昇って上った。振り返ると素朴な寝顔の向うに駄菓子の店が見えた。

百姓家らしい古畳の二階は四間で、

「私一人だから広いことは広いのよ。」と、駒子は言ったが、襖はみな明け放して、家の古道具などをあちらの部屋に積み重ね、煤けた障子のなかに駒子の寝床を一つ小さく敷き、壁に座敷着のかかっているのなどは、狐狸の棲家のようであった。

駒子は床の上にちょこんと坐ると、一枚しかない座蒲団を島村にすすめて、

「まあ、真赤。」と、鏡を覗いた。

「こんなに酔ってたのかしら？」

　そして簞笥の上の方を捜しながら、

「これ、日記。」

「ずいぶんあるんだね。」

　その横から千代紙張りの小箱を出すと、いろんな煙草がいっぱいつまっていた。

「お客さんのくれるのを袂へ入れたり帯に挾んだりして帰るから、こんなに皺になってるけれど、汚くはないの。そのかわりたいていのものは揃ってるわ。」と、島村の前に手を突いて箱のなかを掻き廻して見せた。

「あら、燐寸がないわ。自分が煙草を止めたから、いらないのよ。」

「いいよ。裁縫してたの？」

「ええ。紅葉のお客さんで、ちっとも捗らないの。」と、駒子は振り向いて、簞笥の前の縫物を片寄せた。

　駒子の東京暮しの名残であろう、柾目のみごとな簞笥や朱塗の贅沢な裁縫箱は、師匠の家の古い紙箱のような屋根裏にいた時と同じだけれども、この荒れた二階では無慚に見えた。

　電燈から細い紐が枕の上へ下っていた。

「本を読んで寝る時に、これを引っぱって消すのよ。」と、駒子はその紐を弄びながら、しかし家庭の女じみた風におとなしく坐って、なにか羞んでいた。

「狐のお嫁入りみたいだね。」

「ほんとうですわ。」

「この部屋で四年暮すのかい。」

「でも、もう半年すんだわ。直ぐよ。」

　下の人達の寝息が聞えて来るようだし、話の継穂がないので、島村はそそくさと立ち上った。

　駒子は戸をしめながら、首を突き出して空を仰ぐと、

「雪催いね。もう紅葉もおしまいになるわ。」と、また表に出て、

「ここらあたりは山家ゆえ、紅葉のあるのに雪が降る。」

「じゃあ、お休み。」

「送って行くわ。宿の玄関までよ。」

　ところが島村といっしょに宿へ入って来て、

「お休みなさいね。」と、どこかへ消えて行ったのに、しばらくするとコップに二杯なみなみと冷酒をついで、彼の部屋へ入って来るなり激しく言った。

「さあ、飲みなさい、飲むのよ。」

「宿で寝ちゃってるのに、どこから持って来た。」

「ううん、あるとこは分ってる。」

　駒子は樽から出す時にも飲んで来たとみえ、さっきの酔いが戻ったらしく眼を細めてコップか

ら酒のこぼれるのを見据えながら、

「でも、暗がりでひっかけるとおいしくないわ。」

突きつけられたコップの冷酒を島村は無造作に飲んだ。

こればかりの酒で酔うはずはないのに、表を歩いて体が冷えていたせいか、急に胸が悪くなって頭へ来た。顔の青ざめるのが自分に分るようで、目をつぶって横たわると、駒子はあわてて介抱し出したが、やがて島村は女の熱いからだにすっかり幼く安心してしまった。

駒子はなにかきまり悪そうに、例えばまだ子供を産んだことのない娘が人の子を抱くようなしぐさになって来た。首を擡げて子供の眠るのを見ているという風だった。

島村がしばらくしてぽつりと言った。

「君はいい子だね。」

「どうして？　どこがいいの。」

「いい子だよ。」

「そう？　いやな人ね。なにを言ってるの。しっかりして頂戴。」と、駒子はそっぽを向いて島村を揺すぶりながら、切れ切れに叩くように言うと、じっと黙っていた。

そして一人で含み笑いして、

「よくないわ。つらいから帰って頂戴。もう着る着物がないの。あんたのとこへ来る度に、お座敷着を変えたいけれど、すっかり種切れで、これお友達の借着なのよ。悪い子でしょう？」

　島村は言葉も出なかった。

「そんなの、どこがいい子？」と、駒子は少し声を潤ませて、

「初めて会った時、あんたなんていやな人だろうと思ったわ。あんな失礼なことを言う人ないわ。ほんとうにいやあな気がした。」

　島村はうなずいた。

「あら。それを私今まで黙ってたの、分る？　女にこんなこと言わせるようになったらおしまいじゃないの。」

「いいよ。」

「そう？」と、駒子は自分を振り返るように、長いこと静かにしていた。その一人の女の生きる感じが温く島村に伝わって来た。

「君はいい女だね。」

「どういいの。」

「いい女だよ。」

「おかしなひと。」と、肩がくすぐったそうに顔を隠したが、なんと思ったか、突然むくっと片肘立てて首を上げると、

「それどういう意味？　ねえ、なんのこと？」

　島村は驚いて駒子を見た。

「言って頂戴。それで通ってらしたの？　あんた私を笑ってたのね。やっぱり笑ってらしたのね。」

真赤になって島村を睨みつけながら詰問するうちに、駒子の肩は激しい怒りに顫えて来て、すうっと青ざめると、涙をぽろぽろ落した。

「くやしい、ああっ、くやしい。」と、ごろごろ転がり出て、うしろ向きに坐った。

島村は駒子の聞きちがいに思いあたると、はっと胸を突かれたけれど、目を閉じて黙っていた。

「悲しいわ。」

駒子はひとりごとのように呟いて、胴を円く縮める形に突っ伏した。

そうして泣きくたびれたか、ぷすりぷすりと銀の簪を畳に突き刺していたが、不意に部屋を出て行ってしまった。

島村は後を追うことが出来なかった。駒子に言われてみれば、十分に心疚しいものがあった。

しかし直ぐに駒子は足音を忍ばせて戻ったらしく、障子の外から上ずった声で呼んだ。

「ねえ、お湯にいらっしゃいません？」

「ああ。」

「御免なさいね。私考え直して来たの。」

廊下に隠れて立ったまま、部屋へ入って来そうもないので、島村が手拭を持って出て行くと、駒子は目を合わせるのを避けて、少しうつ向きながら先きに立った。罪をあばかれて曳かれて行く人に似た姿であったが、湯で体が温まる頃から変にいたいたしいほどはしゃぎ出して、眠るど

ころでなかった。

その次の朝、島村は謡の声で目が覚めた。

しばらく静かに謡を聞いていると、駒子が鏡台の前から振り返って、にっと微笑みながら、

「梅の間のお客さま。昨夜宴会の後で呼ばれたでしょう。」

「謡の会の団体旅行かね。」

「ええ。」

「雪だろう？」

「ええ。」と、駒子は立ち上って、さっと障子をあけて見せた。

「もう紅葉もおしまいね。」

窓で区切られた灰色の空から大きい牡丹雪がほうっとこちらへ浮び流れて来る。なんだか静かな嘘のようだった。島村は寝足りぬ虚しさで眺めていた。

謡の人々は鼓も打っていた。

島村は去年の暮のあの朝雪の鏡を思い出して鏡台の方を見ると、鏡のなかでは牡丹雪の冷たい花びらが尚大きく浮び、襟を開いて首を拭いている駒子のまわりに、白い線を漂わした。

駒子の肌は洗い立てのように清潔で、島村のふとした言葉もあんな風に聞きちがえねばならぬ女とは到底思えないところに、反って逆らい難い悲しみがあるかと見えた。

紅葉の銹色が日毎に暗くなっていた遠い山は、初雪であざやかに生きかえった。

に立った。薄く雪をつけた杉林は、その杉の一つ一つがくっきりと目立って、鋭く天を指しながら地の雪

雪のなかで糸をつくり、雪のなかで織り、雪の水に洗い、雪の上に晒す。績み始めてから織り終るまで、すべては雪のなかであった。雪ありて縮あり、雪は縮の親というべしと、昔の人も本に書いている。

村里の女達の長い雪ごもりのあいだの手仕事、この雪国の麻の縮は島村も古着屋であさって夏衣にしていたものだ。踊の方の縁故から能衣裳の古物などを扱う店も知っているので、筋のいい縮が出たらいつでも見せてほしいと頼んであるほど、この縮を好んで、一重の襦袢にもした。

雪がこいの簾をあけて、雪解の春のころ、昔は縮の初市が立ったという。はるばる縮を買いに来る三都の呉服問屋の定宿さえあったし、娘達が半年の丹精で織り上げたのもこの初市のためだから、遠近の村里の男女が寄り集まって来て、見世物や物売の店も並び、町の祭のように賑わったという。縮には織子の名と所とを書いた紙札をつけて、その出来栄えを一番二番という風に品定めした。嫁選びにもなった。子供のうちに織り習って、そうして十五六から二十四五までの女の若さでなければ、品のいい縮は出来なかった。年を取っては機面のつやが失われた。娘達は指

折りの織子の数に入ろうとしてわざを磨いただろうし、旧暦の十月から糸を績み始めて明る年の二月半ばに晒し終るという風に、ほかにすることもない雪ごもりの月日の手仕事だから念を入れ、製品には愛着もこもっただろう。

島村が着る縮のうちにも、明治の初めから江戸の末の娘が織ったものはあるかもしれなかった。自分の縮を島村は今でも「雪晒し」に出す。誰が肌につけたかしれない古着を、毎年産地へ晒しに送るなど厄介だけれども、昔の娘の雪ごもりの丹精を思うと、やはりその織子の土地でほんとうの晒し方をしてやりたいのだった。深い雪の上に晒した白麻に朝日が照って、雪か布かが紅に染まるありさまを考えるだけでも、夏のよごれが取れそうだし、わが身をさらされるように気持よかった。もっとも東京の古着屋が扱ってくれるので、昔通りの晒し方が今に伝わっているのかどうか、島村は知らない。

晒屋は昔からあった。織子が銘々の家で晒すということは少く、たいがい晒屋に出した。白縮は織りおろしてから晒し、色のある縮は糸につくったのを拐にかけて晒す。白縮は雪へじかにのばして晒す。旧の一月から二月にかけて晒すので、田や畑を埋めつくした雪の上を晒場にすることもあるという。

布にしろ糸にしろ、夜通し灰汁に浸しておいたのを翌る朝幾度も水で洗っては絞り上げて晒す。これを幾日も繰り返すのだった。そうして白縮をいよいよ晒し終ろうとするところへ朝日が出てあかあかとさす景色はたとえるものがなく、暖国の人に見せたいと、昔の人も書いている。また

縮を晒し終るということは雪国が春の近いしらせであったろう。

縮の産地はこの温泉場に近い。山峡の少しずつひらけてゆく川下の野がそれで、島村の部屋からも見えていそうだった。昔縮の市が立ったという町にはみな汽車の駅が出来て、今も機業地として知られている。

しかし島村は縮を着る真夏にも縮を織る真冬にも、この温泉場に来たことがないので、駒子に縮の話をしてみる折はなかった。

ところが葉子が湯殿で歌っていた歌を聞いて、この娘も昔生れていたら、糸車や機にかかって、あんな風に歌ったのかもしれないと、ふと思われた。葉子の歌はいかにもそういう声だった。

毛よりも細い麻糸は天然の雪の湿気がないとあつかいにくく、陰冷の季節がよいのだそうで、寒中に織った麻が暑中に着て肌に涼しいのは陰陽の自然だという言い方を昔の人はしている。島村にまつわりついて来る駒子にも、なにか根の涼しさがあるようだった。そのためよけい駒子のみうちのあついひとところが島村にあわれだった。

けれどもこんな愛着は一枚の縮ほどの確かな形を残しもしないだろう。着る布は工芸品のうちで寿命の短い方にしても、大切にあつかえば五十年からもっと前の縮が色も褪せないで着られるが、こうした人間の身の添い馴れは縮ほどの寿命もないなどとぼんやり考えていると、ほかの男の子供を産んで母親になった駒子の姿が不意に浮んで来たりして、島村ははっとあたりを見まわした。疲れているのかと思った。

妻子のうちへ帰るのも忘れたような長逗留だった。離れられないからでも別れともないからでもないが、駒子のしげしげ会いに来るのを待つ癖になってしまっていた。そうして駒子がせつなく迫って来れば来るほど、島村は自分が生きていないかのような苛責がつのった。いわば自分のさびしさを見ながら、ただじっとたたずんでいるのだった。駒子が自分のなかにはまりこんで来るのが、島村は不可解だった。駒子のすべてが島村に通じて来るのに、島村のなにも駒子には通じていそうにない。駒子が虚しい壁に突きあたる木霊に似た音を、島村は自分の胸の底に雪が降りつむように聞いた。このような島村のわがままはいつまでも続けられるものではなかった。

こんど帰ったらもうかりそめにこの温泉へは来れないだろうという気がして、島村は雪の季節が近づく火鉢によりかかっていると、宿の主人が特に出してくれた京出来の古い鉄瓶で、やわらかい松風の音がしていた。銀の花鳥が器用にちりばめてあった。松風の音は二つ重なって、近くのと遠くのとに聞きわけられたが、その遠くの松風のまた少し向うに小さい鈴がかすかに鳴りつづけているようだった。島村は鉄瓶に耳を寄せてその鈴の音を聞いた。鈴の鳴りしきるあたりの遠くに鈴の音ほど小刻みに歩いて来る駒子の小さい足が、ふと島村に見えた。島村は驚いて、最早ここを去らねばならぬと心立った。

そこで島村は縮の産地へ行ってみることを思いついた。この温泉場から離れるはずみをつけるつもりもあった。

しかし川下に幾つもある町のどれへ行けばよいのか、島村はわからなかった。現在機業地に発

展している大きい町が見たいというのではないので、島村はむしろさびしそうな駅に下りた。しばらく歩くと昔の宿場らしい町通に出た。

家々の庇を長く張り出して、その端を支える柱が道路に立ち並んでいた。江戸の町で店下と言ったのに似ているが、この国では昔から雁木というらしく、雪の深いあいだの往来になるわけだった。片側は軒を揃えて、この庇が続いている。

隣りから隣りへ連なっているから、屋根の雪は道の真中へおろすより捨場がない。実際は大屋根から道の雪の堤へ投げ上げるのだ。向う側へ渡るのには雪の堤をところどころくりぬいてトンネルをつくる。胎内くぐりとこの地方ではいうらしい。

同じ雪国のうちでも駒子のいる温泉村などは軒が続いていないから、島村はこの町で初めて雁木を見るわけだった。もの珍らしさにちょっとそのなかを歩いてみた。古びた庇の陰は暗かった。傾いた柱の根元が朽ちていたりした。先祖代々雪に埋もれた鬱陶しい家のなかを覗いてゆくような気がした。

雪の底で手仕事に根をつめた織子達の暮しは、その製作品の縮のように爽かで明るいものではなかった。そう思われるに十分な古町の印象だった。縮のことを書いた昔の本にも唐の秦韜玉の詩などが引かれているが、機織女を抱えてまで織らせる家がなかったのは、一反の縮を織るのにずいぶん手間がかかって、銭勘定では合わないからだという。

そんな辛苦をした無名の工人はとっくに死んで、その美しい縮だけが残っている。夏に爽涼な

肌触りで島村らの贅沢な着物となっている。そう不思議でもないことが島村はふと不思議であった。一心こめた愛の所行はいつかどこかで人を鞭打つものだろうか。島村は雁木の下から道へ出た。

宿場の街道筋らしく真直に長い町通だった。温泉村から続いている古い街道だろう。板葺きの屋根の算木や添石も温泉町と変りがなかった。

庇の柱が薄い影を落していた。いつのまにか夕暮近くだった。

なにも見るものがないので、島村はまた汽車に乗って、もう一つの町に下りてみた。前の町と似たものだった。やはりただぶらぶら歩いて、寒さしのぎにうどんを一杯すすっただけだった。

うどん屋は川岸で、これも温泉場から流れて来る川だろう。尼僧が二人づれ三人づれと前後して橋を渡って行くのが見えた。わらじ履きで、なかには饅頭笠を背負ったのもあって、托鉢の帰りのようだった。烏が塒に急ぐ感じだった。

「尼さんがだいぶ通るね?」と、島村はうどん屋の女にたずねてみた。

「はい、この奥に尼寺があるんですよ。そのうち雪になると、山から出歩くのが難渋になるんでしょう。」

橋の向うに暮れてゆく山はもう白かった。

この国では木の葉が落ちて風が冷たくなるころ、寒々と曇り日が続く。雪催いである。遠近の高い山が白くなる。これを岳廻りという。また海のあるところは海が鳴り、山の深いところは山が鳴る。遠雷のようである。これを胴鳴りという。岳廻りを見、胴鳴りを聞いて、雪が遠くない

ことを知る。昔の本にそう書かれているのを島村は思い出した。

島村が朝寝の床で紅葉見の客の謡を聞いた日に初雪は降った。もう今年も海や山は鳴ったのだろうか。島村は一人旅の温泉で駒子と会いつづけるうちに聴覚などが妙に鋭くなって来ているのか、海や山の鳴る音を思ってみるだけで、その遠鳴が耳の底を通るようだった。

「尼さん達もこれから冬籠りだね。何人くらいいるの。」

「さあ。大勢でしょうよ。」

「尼さんばかりが寄って、幾月も雪のなかでなにをしてるんだろうね。昔この辺で織った縮でも、尼寺で織ったらどうかな。」

物好きな島村の言葉に、うどん屋の女は薄笑いしただけだった。

島村は駅で帰りの汽車を二時間近く待った。弱い光の日が落ちてからは寒気が星を磨き出すように冴えて来た。足が冷えた。

なにをしに行ったのかわからずに島村は温泉場に戻った。車がいつもの踏切を越えて鎮守の杉林の横まで来ると、目の前に明りの出た家が一軒あって、島村はほっとしたが、それは小料理屋の菊村で、門口に芸者が三四人立話していた。

駒子もいるなと思う間もなく駒子ばかりが見えた。

車の速力が急に落ちた。島村と駒子とのことをもう知っている運転手はなんとなく徐行したらしい。

ふと島村は駒子と逆の方のうしろを振り向いた。乗って来た自動車のわだちのあとが雪の上にはっきり残っていて、星明りに思いがけなく遠くまで見えた。

車が駒子の前に来た。駒子はふっと目をつぶったかと思うと、車に飛びついた。車は止まらないでそのまま静かに坂を登った。駒子は扉の外の足場に身をかがめて、扉の把手につかまっていた。

飛びかかって吸いついたような勢いでありながら、島村はふわりと温いものに寄り添われたようで、駒子のしていることに不自然も危険も感じなかった。駒子は窓を抱くように片腕をあげた。袖口が辷って長襦袢の色が厚いガラス越しにこぼれ、寒さでこわばった島村の瞼にしみた。

駒子は窓ガラスに額を押しつけながら、

「どこへ行った？　ねえ、どこへ行った？」と、甲高く呼んだ。

「危いじゃないか。無茶をするね。」と、島村も声高に答えたが、甘い遊びだった。

駒子が扉をあけて横倒れにはいって来た。しかしその時車はもう止まっているのだった。山の裾に来ていた。

「ねえ、どこへいらしたの？」

「うん、まあ。」

「どこ？」

「どこってこともないが。」

駒子の裾を直す手つきの芸者風なのが、島村に珍らしいもののように見えたりした。

運転手はじっとしていた。道の行きづまりで止まっている車に、こうして乗っているのはおかしいと島村は気がつくと、

「おりましょう。」と、島村の膝の上に駒子が手を重ねて来たが、

「まあ、冷たい。こんなよ。どうして私を連れて行かなかったの？」

「そうだったね。」

「なによ？　おかしなひと。」

駒子は楽しげに笑って、急な石段の小路を登った。

「あんたの出ていらっしゃるところ、私見てたのよ。二時か、三時前だったわね？」

「うん。」

「車の音がするから出てみたの。表に出てみたのよ。あんた、うしろを見なかったでしょう？」

「ええ？」

「見なかったわよ。どうして振り返ってみなかったの？」

島村はおどろいた。

「あんた、私の見送ってたのを知らないじゃないの？」

「知らなかったね。」

「そうれごらんなさい。」と、駒子はやはり楽しそうに含み笑いした。そして肩を寄せて来た。

「どうして私を連れて行かないの？　冷たくなって来て、いやよ。」

突然擦半鐘が鳴り出した。

二人は振り向くなり、

「火事、火事よ！」

「火事だ。」

火の手が下の村の真中にあがっていた。

駒子はなにか二声三声叫んで島村の手をつかんだ。

黒い煙の巻きのぼるなかに炎の舌が見えかくれした。その火は横に這って軒を舐め廻っているようだった。

「どこだ、君が元いたお師匠さんの家、近いんじゃないか。」

「ちがう。」

「どのへんだ。」

「もっと上よ。停車場寄りよ。」

炎が屋根を抜いて立ちあがった。

「あら、繭倉だわ。繭倉だわ。あら、あら、繭倉が焼けてるのよ。」と、駒子は言い続けて島村の肩に頬を押しつけた。

「繭倉よ、繭倉よ。」

火は燃えさかって来るばかりだが、高みから大きい星空の下に見下すと、おもちゃの火事のように静かだった。そのくせすさまじい炎の音が聞えそうな恐しさは伝わって来た。島村は駒子を抱いた。

「こわいことないじゃないか。」

「いや、いや、いや。」と、駒子はかぶりを振って泣き出した。その顔が島村の掌にいつもより小さく感じられた。固いこめかみが顫えていた。

火を見て泣き出したのだが、なにを泣くのかと島村はいぶかりもしないで抱いていた。

駒子は不意に泣きやむと顔を離して、

「あら、そうだった、繭倉に映画があるのよ、今夜だわ。人がいっぱいはいってるのよ、あんた……。」

「そりゃあ大変だ。」

「怪我人が出てよ。焼け死ぬわ。」

二人はあわてて石段を駈け登った。上の方で騒ぐ声が聞えるからだ。見上げると高い宿屋の二階三階も、たいていの部屋が障子をあけた明りの廊下に人が出て火事を見ていた。庭のはずれに並んだ菊の末枯が宿の燈か星明りかで輪郭を浮べ、ふと火事が映っていると思わせたが、その菊のうしろにも人が立っていた。二人の顔の上へ宿の番頭などが三四人ころぶように下りて来た。駒子は声を張りあげて、

「あんた、繭倉あ？」

「繭倉だあ。」

「怪我人は？　怪我人はないの？」

「どんどん助け出してるんだあ。活動のフィルムから、ぼうんといっぺんに燃えついて、火の廻りが早いや。電話で聞いたんだ。あれ見ろい。」と、番頭は出会い頭に片腕を振り上げて行った。

「子供なんざあ、二階からぼんぼん投げおろしてるんだってさ。」

「まあ。どうしよう。」と、駒子は番頭を追うように石段を下りた。後から下りて来る人々が駈け抜けて行った。駒子も誘われて走り出していた。島村も追っかけた。

石段の下では火事が人家にかくれて焔の頭しか見えないところへ、擦半鐘が鳴り渡るので、なお不安が増して走った。

「雪が凍みてるから気をつけてね。滑る。」と、駒子は島村を振り向いたが、その拍子に立ち止まって、

「でも、そうよ。あんたはいいのよ、いらっしゃらなくて。私は村の人が心配よ。」

言われてみればそうだった。島村は拍子抜けがすると足もとに線路が見えた。踏切の前まで来ていた。

「天の河。きれいねえ。」

駒子はつぶやくと、その空を見上げたまま、また走り出した。

ああ、天の河と、島村も振り仰いだとたんに、天の河のなかへ体がふうと浮き上ってゆくようだった。天の河の明るさが島村を掬い上げそうに近かった。旅の芭蕉が荒海の上に見たのは、このようにあざやかな天の河の大きさであったか。裸の天の河は夜の大地を素肌で巻こうとして、直ぐそこに降りて来ている。恐しい艶めかしさだ。島村は自分の小さい影が地上から逆に天の河へ写っていそうに感じた。天の河にいっぱいの星が一つ一つ見えるばかりでなく、ところどころ光雲の銀砂子も一粒一粒見えるほど澄み渡り、しかも天の河の底なしの深さが視線を吸い込んで行った。

「おうい。おうい。」

島村は駒子を呼んだ。

「ほうい。来てちょうだあい。」

天の河が垂れさがる暗い山の方へ駒子は走っていた。褄を取っているらしく、その腕を振るたびに赤い裾が多く出たり縮まったりした。星明りの雪の上に赤い色だとわかった。

島村は一散に追っかけた。

駒子は足をゆるめると、褄をはなして島村の手を取った。

「行くの、あんたも？」

「うん。」

「物好きねえ。」と、雪の上に落ちている裾をつまみ上げて、

「私が笑われるから、帰って頂戴。」

「うん、そこまで。」

「悪いじゃないの？　火事場まであんたを連れて行くなんて、村の人に悪いわ。」

島村はうなずいて止まったのに、駒子が島村の袖に軽くつかまったままゆっくり歩き出した。

「どこかで待ってて頂戴。直ぐ戻って来ます。どこがいい。」

「どこでもいいよ。」

「そうね、もう少し向う。」と、駒子は島村の顔をのぞきこんだが、急にかぶりを振って、

「いやだ、もう。」

どんと駒子は体をぶっつけた。島村は一足よろけた。道端の薄雪のなかに葱の列が立っていた。

「なさけないわ。」

そして駒子は早口に挑みかかった。

「ねえ、あんた、私をいい女だって言ったわね。行っちゃう人が、なぜそんなこと言って、教えとくの？」

駒子が簪をぶすりぶすり畳に突き刺していたのを、島村は思い出した。

「泣いたわ。うちへ帰ってからも泣いたわ。あんたと離れるのこわいわ。だけどもう早く行っちゃいなさい。言われて泣いたこと、私忘れないから。」

駒子の聞きちがえで、かえって女の体の底まで食い入った言葉を思うと、島村は未練に絞めつけられるようだったが、俄かに火事場の人声が聞えて来た。新しい火の手が火の子を噴き上げた。

「あら、また、あんなに燃えて、あんなに火が出たわ。」

二人はほっと救われたように走り出した。

駒子はよく走った。凍りついた雪を下駄で掠めて飛ぶかと見え、腕も前後に振るというよりも両脇に張った形だった。胸のあたりに固く力をこめた形で、案外小柄だと島村は思った。小太りの島村は駒子の姿を見ながら走っているので、なお早く苦しくなった。しかし、駒子も急に息切れして、島村によろけかかった。

「目玉が寒くて、涙が出るわ。」

頬がほてって目ばかり冷たい。島村も瞼が濡れた。瞬くと天の河が目に満ちた。島村はその涙が落ちそうなのをこらえて、

「毎晩、こんな天の河かい。」

「天の河？　きれいね、毎晩じゃないでしょう。よく晴れてるわ。」

天の河は二人が走って来たうしろから前へ流れおりて、駒子の顔は天の河のなかで照らされるように見えた。

しかし、鼻の形も明らかでないし、唇の色も消えていた。空をあふれて横切る明りの層が、こんなに暗いのかと島村は信じられなかった。薄月夜よりも淡い星明りなのだろうが、どんな満月

の空よりも天の河は明るく、地上になんの影もないほのかさに駒子の顔が古い面のように浮んで、女の匂いのすることが不思議だった。

　見上げていると天の河はまたこの大地を抱こうとしておりて来ると思える。

　大きい極光のようでもある天の河は島村の身を浸して流れて、地の果てに立っているかのようにも感じさせた。しいんと冷える寂しさでありながら、なにか艶めかしい驚きでもあった。

「あんたが行ったら、私は真面目に暮すの。」と、駒子は言って歩き出すと、ゆるんだ髷に手をやった。五六歩行って振り返った。

「どうしたの。いやよ。」

　島村は立ったままでいた。

「そう？　待っててね。後でいっしょにお部屋へ行かせて。」

　駒子はちょっと左手を上げてから走った。後姿が暗い山の底に吸われて行くようだった。天の河はその山波の線で切れるところに裾をひらき、また逆にそこから花やかな大きさで天へひろがってゆくようだったから、山はなお暗く沈んでいた。

　島村が歩き出すと間もなく駒子の姿は街道の人家でかくれた。

「やっしょ、やっしょ、やっしょ。」と掛声が聞えて、ポンプをひいて行くのが街道に見えた。街道は後から後から人が走っているらしい。島村も急いで街道に出た。二人が来た道は丁字形に街道へ突きあたるのだった。

またポンプが来た。島村はやり過して、その後について走った。

古い手押型の木のポンプだった。長い綱を先引きする一隊のほかに、ポンプのまわりも消防が取り巻いている、それがおかしいほどポンプは小さかった。

そのポンプの来るのを、駒子も道端によけていた。島村を見つけていっしょに走った。ポンプをよけて道端に立った人々が、ポンプに吸い寄せられてゆくように後を追った。今は二人も火事場へ駈けつける人の群に過ぎなかった。

「いらしたの？　物好きに。」

「うん。心細いポンプだね、明治前だ。」

「そうよ。ころばないでね。」

「滑るね。」

「そうよ、これから、地吹雪が一晩中荒れる時に、あんた一度、来てごらんなさい。来れないでしょう。雉や兎が、人家のなかへ逃げ込んで来るわ。」などと駒子が言っても、消防の掛声や人人の足音に調子づいて、明るくはずんだ声だった。島村も身が軽かった。

焔の音が聞えた。眼の前に火の手が立った。駒子は島村の肘をつかんだ。街道の低い黒い屋根が火明りでほうっと呼吸するように浮き出して、また薄れた。足もとの道にポンプの水が流れて来た。島村と駒子も人垣に自然立ちどまった。火事の焦臭さに繭を煮るような臭いがまじっていた。

映画のフィルムから火が出たとか、見物の子供を二階からぽんぽん投げおろしたとか、怪我人はなかったとか、今は村の繭も米も入っていなくてよかったとか、人々はあちこちで似たことを声高にしゃべり合っているのに、みな火に向って無言でいるような、遠近の中心の抜けたような、一つの静かさが火事場を統一していた。火の音とポンプの音とを聞いているという風だった。

時々、おくれて駈けつける村人があって、肉親の名を呼びまわる。答える者があって、喜んで叫び合う。それらの声だけは生き生きと通った。擦半鐘はもう鳴りやんでいた。

人目もあると思って、島村は駒子からそっと離れると、ひとかたまりの子供のうしろに立った。火照(ほて)りで子供達は後ずさりした。足もとの雪も少しゆるんで来るらしかった。人垣の前の雪は火と水で溶け、乱れた足形(あしがた)にぬかるんでいた。

そこは繭倉の横の畑地で、島村達といっしょに駈けつけた村人は大方そこにはいったのだった。

火は映写機を据えた入口の方から出たらしく、繭倉の半ばほどはもう屋根も壁も焼け落ちていたが、柱や梁(はり)などの骨組はいぶりながら立っていた。板葺(いたぶき)板壁に板の床だけでがらんどうだから、屋内にはそう煙も巻いていないし、たっぷり水を浴びた屋根も燃えていそうには見えないのに、火移りは止まらぬらしく、思いがけないところから焔が出た。三台のポンプの水があわてて消しに向うと、どっと火の子を噴き上げて黒煙が立った。

その火の子は天の河のなかにひろがり散って、島村はまた天の河へ掬い上げられてゆくようだった。煙が天の河を流れるのと逆に天の河がさあっと流れ下りて来た。屋根を外れたポンプの水

先が揺れて、水煙となって薄白いのも、天の河の光が映るかのようだった。
いつのまに寄って来たのか、駒子が島村の手を握った。島村は振り向いたが黙っていた。駒子は火の方を見たままで、少し上気した生真面目な顔に焔の呼吸がゆらめいていた。島村の胸に激しいものがこみ上げて来た。駒子の髷はゆるんで、咽は伸びている。そこらにつと手をやりそうになって、島村は指先がふるえた。島村の手も温まっていたが、駒子の手はもっと熱かった。なぜか島村は別離が迫っているように感じた。

入口の方の柱かなにかからまた火が起きて燃え出し、ポンプの水が一筋消しに向うと、棟や梁がじゅうじゅう湯気を立てて傾きかかった。

あっと人垣が息を呑んで、女の体が落ちるのを見た。

繭倉は芝居などにも使えるように、形ばかりの二階の客席がつけてある。二階と言っても低い。その二階から落ちたので、地上まではほんの瞬間のはずだが、落ちる姿をはっきり眼で追えたほどの時間があったかのように見えた。人形じみた、不思議な落ち方のせいかもしれない。一目で失心していると分った。下に落ちても音はしなかった。水のかかった場所で、埃も立たなかった。新しく燃え移ってゆく火と古い燃えかすに起きる火との中程に落ちたのだった。

古い燃えかすの火に向って、ポンプが一台斜めに弓形の水を立てていたが、その前にふっと女の体が浮んだ。そういう落ち方だった。女の体は空中で水平だった。島村はどきっとしたけれども、とっさに危険も恐怖も感じなかった。非現実的な世界の幻影のようだった。硬直していた体

が空中に放り落されて柔軟になり、しかし、人形じみた無抵抗さ、命の通っていない自由さで、生も死も休止したような姿だった。島村に閃いた不安と言えば、水平に伸びた女の体で頭の方が下になりはしないか、腰か膝が曲りはしないかということだった。そうなりそうなけはいは見えたが、水平のまま落ちた。

「ああっ。」

駒子が鋭く叫んで両の眼をおさえた。島村は瞬きもせずに見ていた。

落ちた女が葉子だと、島村も分ったのはいつだったろう。人垣があっと息を呑んだのも駒子がああっと叫んだのも、実は同じ瞬間のようだった。葉子の腓が地上で痙攣したのも、同じ瞬間のようだった。

駒子の叫びは島村の身うちを貫いた。葉子の腓が痙攣するのといっしょに、島村の足先まで冷たい痙攣が走った。なにかせつない苦痛と悲哀とに打たれて、動悸が激しかった。

葉子の痙攣は目にとまらぬほどかすかなもので、直ぐに止んだ。

その痙攣よりも先きに、島村は葉子の顔と赤い矢絣の着物を見ていた。葉子は仰向けに落ちた。片膝の少し上まで裾がまくれていた。地上にぶっつかっても、腓が痙攣しただけで、失心したままらしかった。島村はやはりなぜか死は感じなかったが、葉子の内生命が変形する、その移り目のようなものを感じた。

葉子を落した二階桟敷から骨組の木が二三本傾いて来て、葉子の顔の上で燃え出した。葉子は

あの刺すように美しい目をつぶっていた。あごを突き出して、首の線が伸びていた。火明りが青白い顔の上を揺れ通った。

幾年か前、島村がこの温泉場へ駒子に会いに来る汽車のなかで、葉子の顔のただなかに野山のともし火がともった時のさまをはっと思い出して、島村はまた胸が顫えた。一瞬に駒子との年月が照し出されたようだった。なにかせつない苦痛と悲哀もここにあった。

駒子が島村の傍から飛び出していた。駒子が叫んで眼をおさえたのと、ほとんど同じ瞬間のようだった。人垣があっと息を呑んだままの時だった。

水を浴びて黒い焼屑（やけくず）が落ち散らばったなかに、駒子は芸者の長い裾を曳（ひ）いてよろけた。葉子を胸に抱えて戻ろうとした。その必死に踏ん張った顔の下に、葉子の昇天しそうにうつろな顔が垂れていた。駒子は自分の犠牲か刑罰かを抱いているように見えた。

人垣が口々に声をあげて崩（くず）れ出し、どっと二人を取りかこんだ。

「どいて、どいて頂戴。」

駒子の叫びが島村に聞えた。

「この子、気がちがうわ。気がちがうわ。」

そう言う声が物狂わしい駒子に島村は近づこうとして、葉子を駒子から抱き取ろうとする男達に押されてよろめいた。踏みこたえて目を上げた途端、さあと音を立てて天の河が島村のなかへ流れ落ちるようであった。

川端康成　人と作品

川端康成の生前に発表された最後の創作は『隅田川』であった。敗戦の後に断続的に発表された『反橋』『しぐれ』『住吉』の連作と思われるもので、いずれも「あなたはどこにおいでなのでしょうか」という共通の書き出しをもっている。題名の拠りどころとなっている謡曲『隅田川』は、知られるように、攫われたわが子を尋ねて狂い、はからずも人の口にその死を知る母をうたう曲である。「あなた」は、不在によっていかようにも彩られる母なる人か。『梁塵秘抄』の讃える仏か。それとも永遠なるものの同義語であるか。そのいずれでもなく、そのすべてでもあり得るような作品を遺して凡そ半年の後に、作者は自ら帰らぬ人となっている。

病床にある盲目の祖父との生活を断片的に記録したかたちの『十六歳の日記』は、その瑞々しさにおいて『伊豆の踊子』と並ぶ作品といえよう。門を閉した家で、死期の迫っているただ一人の肉親を看ては中学に通う少年の目には、涙も怒りも眠りもあるのに妥協はなく、当事者でありながら同時に傍観者でありつづけるという目と物との関係は、この日記においてすでに定まっている。

東大在学中の『新思潮』創刊、『文芸春秋』同人への参加、プロレタリア文学雑誌『文芸戦線』に拮抗するように、第一次大戦後のヨーロッパ前衛文学の影響を積極的に受けながら新しい感覚の文学を志した『文芸時代』の創刊、芥川賞詮衡委員、海軍報道班員、日本ペンクラブ会長、ノーベル文学賞受賞と辿ってくると、まぎれもなく時の世の人として生きた川端康成の軌跡は明らかである。

しかし、その軌跡に、さきの日記をはじめとして、『伊豆の踊子』『抒情歌』『禽獣』『雪国』『名人』『千羽鶴』『山の音』『眠れる美女』『片腕』などの作品を改めて辿る時、いかなる時の世にも義理立ても心中もしなかった作家川端康成の軌跡もまた明らかとなる。『十六歳の日記』へのなつかしさが、単なるなつかしさを超えるのはそういう時である。ここには、およそ無駄と名づけられるものの見出しようがなく、勁くて撓やかな言葉は、湧き水のような行間の発言と相携え、澄んだ詩となってこの作品を陰惨から救っている。

二、三歳で父と母を、七歳で祖母を、そして十五歳までに、たった一人の姉と、祖父とをことごとく死界に送った人の哀しみは、遺された作品に探るほかはない。「孤児意識の憂鬱」から脱出する試みを、行きずりの旅芸人への親和のうちに果している『伊豆の踊子』は、川端康成には珍しく涙の爽やかな作品で、ここでは、自力を超えるものとの格闘に真摯な若者だけが経験する人生初期のこの世との和解が、一編のかなめとなっている。二十歳の「私」の高等学校の制帽も、

紺飛白の着物や袴、朴歯の高下駄も、すべて青春の意匠にはちがいないが、『伊豆の踊子』の「青春の文学」たる所以は、ほかならぬこの和解の切実さにある。

旅芸人の一行と別れて後の「私」の涙を、感傷と呼ぶのは恐らく当っていない。それは偶然の恩寵によって、過剰な自意識という高慢の霧の吹き払われたしるしなのであり、そうであればこそ、「どんなに親切にされても、それを大変自然に受け入れられるような」、そして、自分をとりまく「何もかもが一つに融け合って感じられ」るような「私」の経験を、読者もまた自分のものとなし得るのである。

与し難いこの世との最初の和解の契機は、それこそ人さまざまであろう。十四歳の可憐な踊り子との束の間の縁を、そのような契機となし得るか否かも心々である。そしてこの和解が、文字通り不可解なこの世との最初の和解でしかなかったにしても、青年と少女とのこうした出会いと別れに、『禽獣』や『山の音』、『眠れる美女』にいたってそれぞれ別様に充実する、憧憬や思慕はあるのに陶酔を許さないという川端文学の特色をいち早く嗅ぎつけることもできるだろう。あの、「どんなに親切にされても、それを大変自然に受け入れられるような」気分が、一方で、「美しい空虚な気持」として「私」に実感されているのを見落してはならない。

戦前の作を代表する『雪国』に、故意か偶然か、同類の言葉が繰り返されているのは興味深いことである。「駒子の愛情は彼に向けられたものであるにもかかわらず、それを美しい徒労であるかのように思う彼自身の虚しさがあって、けれども反ってそれにつれて、駒子の生きようとし

ている命が裸の肌のように触れて来もするのだった。彼は駒子を哀れみながら、自らを哀れんだ。そのようなありさまを無心に刺し透す光に似た目が、葉子にありそうな気がして、島村はこの女にも惹かれるのだった。」

生存の悲しみを「夢のからくり」とながめる男に配された女の「徒労」は、この作者の、意志とよぶにはあまりに野放図な、そしてまた、忍耐というにはあまりにも楽天的な相貌の陶酔の拒否、あるいは虚しい共存容認に根を下ろしている。俗悪なものにも、高貴なものにも、透明な目で無差別の熱烈な交わりをつづけながら、あらゆる物から離れて立ち、しかもあらゆる物を精力的に容認するというこの世の愛し方は、川端康成をたとえば横光利一のように、「西方と戦った新しい東方の受難者」にも、また、「東方の伝統の新しい悲劇の先駆者」にもしなかった所以のものであるが、『雪国』と『伊豆の踊子』を分つ一点を、「美しい空虚な気持」に加えられた「美しい徒労」の自覚の介入に絞る時、汽車の窓硝子に映る娘の顔に北国の野山のともし火をともした、あの言挙げされることの多い描写もさることながら、一見何の変哲もないような以下の部分に、かえって鮮烈な作者を見ることも少なくない。

「秋が冷えるにつれて、彼の部屋の畳の上で死んでゆく虫も日毎にあったのだ。翼の堅い虫はひっくりかえると、もう起き直れなかった。蜂は少し歩いて転び、また歩いて倒れた。季節の移るように自然と亡びてゆく、静かな死であったけれども、近づいて見ると脚や触角を顫わせて悶えているのだった。それらの小さい死の場所として、八畳の畳はたいへん広いもののように眺めら

れた。

島村は死骸を捨てようとして指で拾いながら、家に残して来た子供達をふと思い出すこともあった。」

この一匹の瀕死の蜂は、事、蜂に関する私のあらゆる記憶を妨げはしないのに、読み返す度の私は、蜂というものをはじめて見たようなときめきを記憶に加えるのがつねであった。『雪国』の分析から、東西のさまざまの観念の抽出を試みるのは読者の自由である。しかし、『雪国』の作者は、直観の自在に遊ぶ人ではあっても、ゆめ論考思索にこもる人ではない。決して満たされない、というよりも満たされてはならない存在への恋を、即物的にも、抽象的にも、また夢幻的にも表現し得る感覚の力は、この『雪国』において、多様性をもってまず確立されたといい得よう。

時に野蛮な頽廃に惹かれ（禽獣）、恋人ともども紅梅か夾竹桃の花となって、花粉をはこぶ胡蝶に結婚させてもらいたいと願い（抒情歌）、時にまた「あなた」への呼びかけとなり（反橋連作）、谷の奥に山の音を聞いて恐怖におそわれる（山の音）この作家特有の存在への恋が、長い間孤立意識に悩まされた生い立ちによるものとは到底いいきれないにしても、陶酔の拒否によっていっそう強まる渇望のなまなましさから、作家にとって血とは何かの思いにしばしば泥んでしまうのも否定できない事実である。

互いの分身に気づかず生きていた一卵性双生児の姉妹が、分身を探り当てた後も離れて生かさ

れる『古都』には、こうした血にまつわる渇望の、ひとつの非情な処置を見るのであるが、この処置が、虚しい共存の容認に収斂されてゆくところに、京の四季もこまやかな「古都」と、いわゆる観光小説との明らかな違いもある。

　川端康成の文学における日本をいうことは、よくいわれている割には易しくない。古都や鎌倉が作品の舞台になるからといって、祭や茶の湯、邦楽、日本画についてよく書かれるからといって、それらの作品を観光小説風に扱う冒瀆はまことに耐え難い。

「敗戦後の私は日本古来の悲しみのなかに帰ってゆくばかりである。」という一節の有名な「哀愁」は、敗戦を経験した文学者としての、寂しく勁い決意の文章ではあったろう。少なくともそこにあるのは、作者に意識された日本であり、日本人のはずであった。こういう作者の直截の声を求める者には、君と死に別れてのちは、日本の山河を魂として生きてゆこうという「横光利一弔辞」や、ノーベル賞受賞後、スウェーデン・アカデミーで行われた記念講演「美しい日本の私――その序説」、さらに又ハワイ大学での、招聘された客員教授としての講演「美の存在と発見」が、当然味読の対象となろう。

　しかし、エッセイほど直截ではないがエッセイに劣らず、あるいはそれ以上に雄弁で多面的なのが同じ作者の小説と読む者には、さらに又、川端康成の日本及び日本人に対する意識が、敗戦などで変るはずもないと思う者には、直截な言葉だけをあげて、川端文学における日本がそこに

抽出され要約されていると見做すこともまた躊躇われるであろう。

私見によれば、川端康成の文学における日本については、本来モノローグによる自己充足や解放を好まず、ダイアローグによってドラマを進展させたり飛躍させたりする谷崎潤一郎の文学と較べてみると、少なくとも一つのことははっきりするように思う。それは、谷崎文学が、日本の物語の直系であるようには、川端文学はドラマの欠如あるいは不必要によって直系とはいい難く、本質的にはモノローグに拠るものという点で、和歌により強く繋っているということである。しばしば小説の約束事は無視されて一見随筆風でもあるのに、あえて日記随筆の系譜に与させないのはほかでもない。さきにもふれたように、この文学は、ゆめ論述述志の文学ではなく、感覚と直観によってこの世との関係を宙に示しているからである。

いうまでもなく、二十世紀の人である川端康成は、すでに在る自国の文学のほか、異国の文学といえば漢文学しか享受できなかった古代の歌詠みや日記物語の作者とちがって、古今東西の文学の広い享受者でもある。『骨拾い』『雨傘』などをふくむ「掌の小説」の闊達な多様性が、もっとも率直かつ雄弁に語っているのもこのことである。谷崎潤一郎の、自国の文学享受が、王朝と江戸と西欧との混淆というかたちで生かされているのに対し、この作家の場合は、王朝と中世と西欧とが重なっていてこれ又独自であり、その中世では、軍記物語のたぐいよりも歌と歌論、つまり詩と詩論のたぐいに、より積極的な関心の厚さが見えるのも注目されてよいことと思われる。際限のない、渇望としてのみありつづける存在への恋が、物や事の、虚しい共存容認という歯

止めをもつ時、ダイアローグを不可欠とするドラマよりもモノローグと結ぶのはむしろ自然かとも思われるのであるが、ダイアローグを排除するところでしか成立しない『眠りの美女』の詩または音楽、一見きわめて西欧的なこの密室の性愛さえ、じつはこの作家における和歌的なるものの一つの極北を示しているとみられることにも、川端康成における日本の複雑さを思わずにはいられないのである。

昭和四十八年六月

竹西寛子

『雪国』について

『雪国』は、川端康成においてその頂上に到着した近代日本の抒情小説の古典である。「抒情小説」とこの作品を呼ぶことは、一般的ではないが、私はそういう風に呼びたい。一般的に言えば、これは心理小説であるが、抒情の道をとおって、潔癖さにいたり、心理のきびしさの美をつかむという道。これは日本人が多分もっとも鋭くふみ分けることの出来る文芸の道の一つである。すでに私たちは『枕草紙』という、この道の典型を持っている。

『枕草紙』にある区別と分析と抒情との微妙な混淆（こんこう）を、どこの国にもとめることができよう。『雪国』はその道を歩いている。『枕草紙』の脈は、私は俳諧に来ていると思う。それは和歌の曲線を不正確として避けた芭蕉、いなそれよりももっと蕪村に近いあたりをとおり、現代の新傾向の俳句の多くにつながる美の精神である。そして、突然泉鏡花において散文にほとばしり、それ以後散文精神という仮装をして現われた物語文学に押しのけられ、押しつぶされて消えそうになりながら消えず、文学の疲労と倦怠（けんたい）の隙間ごとに明滅していたが、川端康成において、新しい現代人の中に、虹（にじ）のように完成して中空にかかった。

この作品は、特色ある手法としては、現象から省略という手法によって、美の頂上を抽出する、

という仕方をする。だから、初歩の読者はそこに特有の難解さを感ずるであろうし、進んだ読者は、自己の人間観の汚れを残酷に突きつけられる。そういう点からは、大変音楽的な美しさと厳しさを持っていると言い得よう。

　この作家の美の把握の微妙さに驚くのは、主人公の島村が、夕暮の汽車の窓に写る葉子の姿と、その硝子越しに移ってゆく風景と遠い灯との重なる場面から始まる。

「窓の鏡に写る娘の輪郭のまわりを絶えず夕景色が動いているので、娘の顔も透明のように感じられた。しかしほんとうに透明かどうかは、顔の裏を流れてやまぬ夕景色が顔の表を通るかのように錯覚されて、見極める時がつかめないのだった。」

「汽車のなかもさほど明るくはないし、ほんとうの鏡のように強くはなかった。反射がなかった。だから、島村は見入っているうちに、鏡のあることをだんだん忘れてしまって、夕景色の流れのなかに娘が浮んでいるように思われて来た。」

「そういう時、彼女の顔のなかにともし火がともったのだった。この鏡の映像は窓の外のともし火を消す強さはなかった。ともし火も映像を消しはしなかった。そうしてともし火は彼女の顔のなかを流れて通るのだった。しかし彼女の顔を光り輝かせるようなことはしなかった。冷たく遠い光であった。小さい瞳のまわりをぽうっと明るくしながら、つまり娘の眼と火とが重なった瞬間、彼女の眼は夕闇の波間に浮ぶ、妖しく美しい夜光虫であった。」

　こういう一節を読む人は、これは叙景にすぎない、女の姿の抽出にすぎないと思うであろうか。

この場面は、島村が愛し合っている駒子を通してやがてこの葉子と知り合い、駒子を越えて葉子に心を惹かれるようになるというこの小説の筋らしいものの伏線とはなっているが、しかしそういう「前提」の意味に止まっているのではない。そういう「筋」を別にしていたる所にあるこの作品の多くの極点の、これは一つなのである。夕暮の田舎の風景の中の一つの灯に重なる女の顔。そこに突然女の存在の美しさのきわまりが実感される。島村は決して情人とか女好きという存在ではなく、美しく鋭いものの感覚的な秤りである。そして、この島村が女と触れ合うところに発する火花。それが、この作品のあらゆる行にせわしなく息づまるように盛られている実体である。

島村は作者の説明では「自然と自身に対する真面目さも失いがちな」無為徒食の人間で「それを呼び戻すには山がいいと、よく一人で山歩きをする」存在であり、舞踊が好きで、西洋舞踊の本などを翻訳しているというのんきな身の上だ、という簡単なことしか分っていない。しかし、殆んどそれは、どうでもよいことで、作者自身の敏感な細い絃が島村の中に縦横に張りめぐらされている。その絃に触れて真実なものが悉く音を立てるが、無意味なものは悉く空白に過ぎてゆく。だから、駒子のような、悲しいまでに真剣な存在、それよりももっと危険な怖ろしいほど張りつめた生き方しか出来ぬような葉子のような存在のない所では、島村は空白な無に帰してしまう。

「今出て来たばかりの駒子の部屋までが、もうその遠い世界のように思われる」のであり、また「汽車が動くと直ぐ待合室のガラスが光って、駒子の顔はその光のなかにぽっと燃え浮ぶかと見

る間に消えてしまったが、それはあの朝雪の鏡の時と同じに真赤な頬であった。またしても島村にとっては、現実というものとの別れ際の色であった」りするのである。

そして彼は駒子を発見し、葉子を発見する。若し、前に引用したような葉子の把握がなければ、葉子という女は存在しない、ということを考えなければならない。島村がそこにいるが故に、何でもない車中の一女性が、そのありかたの、あのような美しさにおいて生きて来る。葉子が存在しはじめるのである。また「精いっぱいに生きている」駒子は、島村のいる所で、島村の眼と感覚の中ではじめてその事実が現実となる。

そういう抽象的だと思われるほど、きびしい感受者としての島村が、自分の周囲に独得の世界を作ってゆくさまは、光を持った人が闇の中を歩くようにも見え、また魔法の杖をもって動物を人間にしたり、子供を天使にしたりする人が歩くのにも似ている。そこに、島村のまわりに作られる世界は、現実の描写が、雪や家屋や風俗や虫などでかこまれていながら、ほとんど抽象に近くなっている。人間の中から、激しい思念や、きびしい呼声や、もっとも細かな真心からの願いなどのみを取り、外の無意味な具体性を棄ててしまう。こういうこの作家の仕方で出来た創作の世界は「真実」であるとの印象を深く与えるけれども、ある大きな距たりを、実人生との間に持っている。

具象性ということに避けがたくある平凡さや愚劣さや退屈さを伴わぬ文学がこういう風にして可能化されている。これは西洋文学に例を求めれば少し無理な比較ではあるが、トルストイ的で

なく、フローベール的でなく、プルースト的であり、ドストエフスキー的である。

　そして島村の思念の限界は、美にその存在を賭してはいるが、それは抽出され、燃えあがり、変化する瞬間の美であり、その瞬間が過ぎると空白になるという性質にある。命をかけて生き、命をかけて男を愛している女を理解はするが、目の前にいなければ、その女は忽ち無に帰する。島村はその感覚する「美」の一点においてしか生活していない。生活の継続という汚れと無意味さと退屈と繰りかえしとに彼は耐えられない。そして、いつかその島村の生き方の限界が駒子に理解され、駒子を絶望に陥れる。

「『君はいい子だね。』

『どうして？　どこがいいの。』

『いい子だよ。』

『そう？　いやな人ね。なにを言ってるの。しっかりして頂戴。』と、駒子はそっぽを向いて島村を揺すぶりながら、切れ切れに叩くように言うと、じっと黙っていた。」

　というような場面となり、また、

「『いい女だよ。』

『おかしなひと。』と、肩がくすぐったそうに顔を隠したが、なんと思ったか、突然むくっと片肘立てて首を上げると、

『それどういう意味？　ねえ、なんのこと？』

島村は驚いて駒子を見た。

『言って頂戴。それで通ってらしたの？　あんた私を笑ってたのね。やっぱり笑ってらしたのね。』

真赤になって島村を睨みつけながら詰問するうちに、駒子の肩は激しい怒りに顫えて来て、すうっと青ざめると、涙をぽろぽろ落した。」

生きることに切羽つまっている女と、その切羽詰りかたの美しさに触れて戦いている島村の感覚との対立が、次第に悲劇的な結末をこの作品の進行過程に生んで行く。そしてその過程が美の抽出に耐えられない暗さになる前でこの作品は終らねばならぬ運命を持っているのである。

昭和二十二年七月

伊藤整

年　譜

明治三十二年（一八九九年）　六月十一日、大阪市天満此花町に、父栄吉、母ゲンの長男として生れる。姉芳子と二人姉弟。父は医師で、漢学をたしなんだ。
明治三十四年（一九〇一年）二歳　一月、父死去。
明治三十五年（一九〇二年）三歳　一月、母死去。祖父母と、原籍地、大阪府三島郡豊川村に移る。姉は大阪府東成郡鯰江村の叔母の家に預けられ、離別。
明治三十九年（一九〇六年）七歳　豊川村小学校に入学。九月、祖母死去。以後祖父と二人で暮す。
明治四十二年（一九〇九年）十歳　七月、姉死去。
明治四十五年・大正元年（一九一二年）十三歳　大阪府立茨木中学校に入学。「新潮」「中央公論」等を読み始め、中学二年頃から小説家を志した。
大正三年（一九一四年）十五歳　五月、祖父死去。孤児となり、豊里村の伯父の家に引取られた。
大正四年（一九一五年）十六歳　一月、茨木中学の寄宿舎に入り、卒業まで在舎。白樺派の作品を愛読。
大正五年（一九一六年）十七歳　茨木町の小新聞に短編小説や短文を書く。石丸悟平の雑誌「団欒」に『師の柩を肩に』を投稿、掲載され、昭和二年三月には『倉木先生の葬式』として「キング」に再載された。
大正六年（一九一七年）十八歳　三月、中学卒業後、上京。浅草蔵前の従兄の家に寄留、よく浅草公園に行く。九月、第一高等学校一部乙類（英文）に入学、寮に入る。ロシア文学を最もよく読んだ。
大正七年（一九一八年）十九歳　秋、初めて伊豆に旅行。旅芸人の一行と道づれになる。湯ヶ島温泉にはこの後十年の間、毎年出かける。
大正九年（一九二〇年）二十一歳　七月、一高卒業、東京帝国大学英文学科に入学。同級の石浜金作、酒井真人等に今東光を加えて第六次「新思潮」の発刊を企て、その継承の了解を得るため菊池寛を訪ねる。以後長く菊池の恩顧を受ける。
大正十年（一九二一年）二十二歳　二月、第六次「新思潮」を創刊。四月、『招魂祭一景』を発表、これがデビュー作となる。この年、菊池宅で横光利一、久米正雄、芥川龍之介等を知る。
　四月、『招魂祭一景』（新思潮）　七月、『油』（新思潮）
大正十一年（一九二二年）二十三歳　六月、英文学

科から国文学科に移籍。この年から「新思潮」「文章倶楽部」「時事新報」等に小品や批評を書く。
大正十二年（一九二三年）二十四歳　一月、菊池寛が「文芸春秋」を創刊、二号より編集同人に加わる。
五月、『会葬の名人』（文芸春秋、後に『葬式の名人』と改題）七月、『南方の火』（新思潮）
大正十三年（一九二四年）二十五歳　三月、東京帝国大学卒業。卒業論文は『日本小説史小論』。十月、片岡鉄兵、横光、今、中河与一、佐佐木茂索等二十名ほどで「文芸時代」を創刊、〝新感覚派〟が誕生した。
大正十四年（一九二五年）二十六歳
八月、『十七歳の日記』（文芸春秋、後に『十六歳の日記』と改題）十二月、『白い満月』（新小説）
大正十五年・昭和元年（一九二六年）二十七歳　片岡、横光、岸田国士と衣笠貞之助の新感覚派映画連盟に参加。川端作のシナリオ『狂った一頁』を映画化、全関西映画連盟からこの年の優秀映画に推された。
一月、『伊豆の踊子』（文芸時代、二月完結）
『感情装飾』処女短編集（六月、新潮社刊）
昭和二年（一九二七年）二十八歳　四月、湯ヶ島より上京、高円寺に住む。十一月、熱海に移る。
四月、『梅の雄蘂』（文芸春秋）　五月、『柳は緑花は紅』（文芸時代、後に前作と合わせて『春景色』として改稿）
『伊豆の踊子』短編集（三月、金星堂刊）
昭和四年（一九二九年）三十歳　九月、上野桜木町に転居。浅草公園に通い、カジノ・フォーリーの踊子達を知る。十月、堀辰雄、深田久弥、永井龍男等の同人雑誌「文学」に、犬養健、横光とともに参加。
十月、『温泉宿』（改造）　十二月、『浅草紅団』（東京朝日新聞、五年二月完結）
昭和五年（一九三〇年）三十一歳
六月、『春景色』（『十三人倶楽部』第一輯）
昭和六年（一九三一年）三十二歳
一月、『水晶幻想』（改造）
昭和七年（一九三二年）三十三歳
一月、『父母への手紙』（若草、以後四編分載して九年一月完結）　二月、『抒情歌』（中央公論）
十月、『慰霊歌』（改造）　九月、『化粧と口笛』（朝日新聞、十一月完結）
昭和八年（一九三三年）三十四歳　十月、武田麟太郎、林房雄、小林秀雄、豊島与志雄、里見弴、宇野

浩二、深田等と「文学界」を創刊。
七月、『禽獣』(改造)　十二月、『末期の眼』(文芸)
昭和九年（一九三四年）三十五歳　一月、松本学による文芸懇話会の会員となる。十二月、越後へ旅行。
三月、『虹』(中央公論)　五月、『文学的自叙伝』(新潮)
昭和十年（一九三五年）三十六歳　一月、芥川賞が設定され、銓衡委員となる。冬、鎌倉浄明寺宅間ヶ谷に住む林に誘われ、その隣家に移る。
一月、『夕景色の鏡』(文芸春秋)『白い朝の鏡』(改造、ともに『雪国』の断章)　七月、『純粋の声』(婦人公論)　十月、『童謡』(改造)
昭和十一年（一九三六年）三十七歳　一月、「文芸懇話会」が創刊され、同人となる。この年、新潮賞、池谷信三郎賞が設けられ、銓衡委員となる。
一月、『イタリアの歌』(改造)　四月、『花のワルツ』(改造、五月完結)　十月、『父母』(改造)『女性開眼』(報知新聞、十二年七月完結)
昭和十二年（一九三七年）三十八歳　七月、『雪国』が尾崎士郎の『人生劇場』とともに文芸懇話会賞受賞。十二月、北条民雄死去。この年、鎌倉二階堂に移る。
『雪国』(六月、創元社刊)
昭和十三年（一九三八年）三十九歳　四月、本因坊秀哉（しゅうさい）名人引退碁を観戦。
七月、『名人引退碁観戦記』(東京日日新聞、大阪毎日新聞)　十二月、『高原』(日本評論)
昭和十四年（一九三九年）四十歳　三月、菊池寛賞銓衡委員となる。冬、熱海に滞在。
昭和十五年（一九四〇年）四十一歳
一月、『愛する人達』(婦人公論に連載)
昭和十六年（一九四一年）四十二歳　春から初夏、満洲を旅行。七月、関東軍の招きで、大宅壮一、火野葦平等と満洲へ再び渡る。奉天、北京に各一ヵ月、大連に数日滞在、十二月、太平洋戦争開始直前に帰国。
昭和十七年（一九四二年）四十三歳　八月、島崎藤村、志賀直哉、里見、武田、瀧井孝作を同人とする季刊誌「八雲」を創刊する。
八月、『名人』(八雲)
昭和十八年（一九四三年）四十四歳
六月、『故園』(文芸、二十年一月まで断続連載、未完)　十二月、『夕月』(日本評論)
昭和十九年（一九四四年）四十五歳　四月、『故園』

『夕月』等により菊池寛賞受賞。十二月、片岡死去。

三月、『夕月』続編（日本評論）

昭和二十年（一九四五年）四十六歳　四月、海軍報道班員として鹿児島県鹿屋の飛行基地に赴く。五月、久米、中山義秀、高見順等鎌倉在住の作家と、貸本屋〝鎌倉文庫〟を開く。これが出版社鎌倉文庫となり、日本橋に事務所を設ける。『源氏物語』を熟読。

昭和二十一年（一九四六年）四十七歳　一月、鎌倉文庫より『人間』を創刊。この年、鎌倉長谷に転居。

二月、『再会』（世界）十二月、『さざん花』（新潮）

昭和二十二年（一九四七年）四十八歳　十二月、横光死去。

十月、『反橋』（風雪別冊）

昭和二十三年（一九四八年）四十九歳　三月、菊池寛死去。六月、日本ペンクラブ会長に就任。

一月、『再婚者の手記』（新潮、断続連載で八月完結、後に『再婚者』と改題）二月、『横光利一弔辞』（人間）

『川端康成全集』全十六巻（新潮社刊、二十九年四月完結）

昭和二十四年（一九四九年）五十歳　十一月、広島市の招きでペンクラブの豊島等と原爆の被害を視察。

四月、『しぐれ』（文芸往来）『住吉物語』（個性、後に『住吉』と改題）五月、『千羽鶴』（読物時事別冊）九月、『山の音』（改造文芸）

昭和二十五年（一九五〇年）五十一歳

十二月、『舞姫』（朝日新聞、二十六年三月完結）

昭和二十六年（一九五一年）五十二歳

五月、『たまゆら』（別冊文芸春秋）

昭和二十七年（一九五二年）五十三歳　『千羽鶴』が二十六年度芸術院賞受賞。

二月、『月下の門』（新潮、断続連載、十一月完結）

昭和二十八年（一九五三年）五十四歳　十一月、永井荷風、小川未明とともに芸術院会員に選ばれる。

昭和二十九年（一九五四年）五十五歳　『山の音』により野間文芸賞受賞。

一月、『みずうみ』（新潮、十二月完結）

『呉清源棋談・名人』（七月、文芸春秋新社刊）

昭和三十年（一九五五年）五十六歳　一月、英訳『伊豆の踊子』（サイデンステッカー抄訳）が「アトランティック・マンスリー」に掲載される。

一月、『ある人の生のなかに』（文芸、三十二年一

月まで連載、未完）
『東京の人』（一、五、十、十二月、新潮社刊）
『虹いくたび』（二月、河出書房刊）
昭和三十一年（一九五六年）五十七歳
三月、『女であること』（朝日新聞、十一月完結）
昭和三十二年（一九五七年）五十八歳　三月、国際ペンクラブ執行委員会出席のため渡欧、モーリヤック、エリオット等に会い、五月帰国。九月、東京で開催された国際ペン大会に尽力。
昭和三十三年（一九五八年）五十九歳　二月、国際ペンクラブ副会長に就任。六月、沖縄へ旅行。晩秋、胆嚢炎で入院。
昭和三十四年（一九五九年）六十歳　四月、退院。五月、フランクフルト市の国際ペン大会でゲーテ・メダルを贈られる。
昭和三十五年（一九六〇年）六十一歳　五月、アメリカ国務省の招待で渡米。七月、ブラジルで開かれた国際ペン大会に出席、八月帰国。フランス政府より芸術文化オフィセ勲章を贈られる。
一月、『眠れる美女』（新潮、三十六年十一月完結）
昭和三十六年（一九六一年）六十二歳　十一月、文化勲章受賞。
一月、『美しさと哀しみと』（婦人公論、三十八年十月完結）　十月、『古都』（朝日新聞、三十七年一月完結）
昭和三十七年（一九六二年）六十三歳　一月、睡眠薬の禁断症状を起し、入院。十月、世界平和アピール七人委員会に参加。十一月、毎日出版文化賞受賞。
昭和三十八年（一九六三年）六十四歳　四月、日本近代文学館が創立され、監事に就任。
十月、『片腕』（新潮、三十九年一月完結）
昭和三十九年（一九六四年）六十五歳　六月、オスローでの国際ペン大会に出席。
一月、『ある人の生のなかに』（文芸、決定稿）
六月、『たんぽぽ』（新潮、四十三年十月まで断続連載、未完）
昭和四十年（一九六五年）六十六歳　十月、日本ペンクラブ会長を辞任。
九月、『たまゆら』（小説新潮、四十一年三月まで、未完）
昭和四十一年（一九六六年）六十七歳
『落花流水』エッセイ集（五月、新潮社刊）

昭和四十二年（一九六七年）六十八歳　二月、中国の文化革命に際し、石川淳、安部公房、三島由紀夫と学問、芸術の自律性擁護のためのアピールを出す。

昭和四十三年（一九六八年）六十九歳　六―七月、参院選に際し、今東光の選挙事務長を務める。十月、ノーベル賞受賞が決定。十二月、スウェーデン・アカデミーにおいて『美しい日本の私―その序説』と題し記念講演。

十二月、『秋の野に』（新潮）

昭和四十四年（一九六九年）七十歳　一月、ノーベル賞受賞の欧州旅行から帰国。三月、ホノルルへ赴く。四月、米国文芸アカデミーの名誉会員となる。五月、ハワイ大学で『美の存在と発見』と題し記念講義。『川端康成全集』（新潮社）の刊行始まる。六月、同大学の名誉文学博士号を受け、帰国。九月、移住百年記念サンフランシスコ日本週間に出席し、『日本文学の美』の特別講演を行う。

一月、『夕日野』（新潮）

昭和四十五年（一九七〇年）七十一歳　六月、台北で開かれたアジア作家会議に出席し講演。同月末、京城での国際ペン大会に出席、漢陽大学で記念講演『以文会友』を行う。十一月、三島由紀夫自決。

一月、『伊藤整』（新潮）　三月、『鳶の舞ふ西空』（新潮）　四月、『髪は長く』（新潮）

昭和四十六年（一九七一年）七十二歳　四月、東京都知事選に際し、秦野章の応援に立つ。

一月、『三島由紀夫』（新潮）　四月、『書』（新潮、五月分載）　十一月、『隅田川』（新潮）　十二月、『志賀直哉』（新潮、四十七年三月まで、未完）

昭和四十七年（一九七二年）享年七十二　三月七日、急性盲腸炎のため入院手術し、十五日に退院。四月十六日、逗子マリーナマンション内の仕事部屋でガス自殺。「岡本かの子全集」の序文が絶筆となった。

『たんぽぽ』（九月、新潮社刊、未完の遺作長編）

昭和四十八年（一九七三年）

『竹の声桃の花』（一月、新潮社刊、遺作集）
『現代日本文学アルバム　川端康成』（四月、学習研究社刊）
『定本　図録川端康成』（四月、日本近代文学館編、世界文化社刊）

（本年譜は「新潮　川端康成読本」を参照して編集部で作成した。）

文字づかいについて

新潮文庫の日本文学の文字表記については、なるべく原文を尊重するという見地に立ち、次のように方針を定めた。

一、口語文の作品は、旧仮名づかいで書かれているものは現代仮名づかいに改める。
二、文語文の作品は旧仮名づかいのままとする。
三、一般には当用漢字以外の漢字も使用し、音訓表以外の音訓も使用する。
四、難読と思われる漢字には振仮名をつける。
五、送り仮名はなるべく原文を重んじて、みだりに送らない。
六、極端な宛(あ)て字と思われるもの及び代名詞、副詞、接続詞等のうち、仮名にしても原文を損(そこな)うおそれが少ないと思われるものを仮名に改める。